LE GRAND LIVRE
D'ACTIVITÉS

des petits curieux de 2 à 6 ans

Titre de l'édition originale allemande :
Mein Forscher-spielbuch (Christina Braun, Ute Diehl, Monika Diemer)
© MMX Bibliographisches Institut GmbH, Mannheim
Illustrations : Martina Badstuber
Alle Rechte vorbehalten.
© Zuidnederlandse Uitgeverij N.V.,
Vluchtenburgstraat 7, B-2630 Aartselaar, Belgique, MMXI.
Tous droits réservés.
Cette édition par Chantecler, Belgique-France
Traduction française : Monique Lesceux
Imprimé en Belgique.

D-MMXI-0001-238

LE GRAND LIVRE d'ACTIVITÉS

des petits curieux de 2 à 6 ans

CHANTECLER

Table des matières

Préface

Les gens continuent d'apprendre tout au long de leur vie. La curiosité est le moteur qui nous porte à toujours vouloir découvrir de nouvelles choses. La question « pourquoi ? » en est le reflet. Les enfants sont très curieux et ils acquièrent de nouvelles connaissances de multiples manières. Ce livre veut les encourager, dès l'âge le plus tendre, dans leur envie de découverte, de manière ludique. Un aperçu de l'apprentissage des enfants dans leur vie quotidienne et des compétences qu'ils développent en tant que jeunes explorateurs est le concept qui sous-tend ce livre.

Les enfants acquièrent continuellement de nouvelles connaissances. Les mettre en commun et faire le lien entre la réflexion et l'action est primordial pour le développement des sens, la compréhension représentant une des expériences les plus fondamentales. L'apprentissage ciblé, ainsi que l'expérimentation créatrice et constructive exigent une certaine indépendance de la part des enfants. Les conditions nécessaires à ce développement, c'est de laisser de la place pour la fantaisie, mais aussi de laisser à l'enfant la liberté d'avoir ses propres idées et de faire ses propres erreurs. Pour cette raison, les enfants ont besoin de faire leur propre expérience de l'apprentissage, ils doivent pouvoir essayer, se tromper et recommencer. Il est important que les adultes ne donnent pas trop rapidement la solution. Il est prouvé, au niveau de l'approche psychologique du développement, que même les tout-petits présentent déjà une structure de réflexion, qui rend possible la compréhension de liens scientifiques. Leur développement cognitif évolue quand ils agissent par eux-mêmes.

Les petits jeux et les expériences de ce livre sont répartis en trois chapitres. Le premier s'adresse aux enfants de 2-3 ans, le deuxième aux enfants de 3-4 ans et le troisième à ceux de 4-6 ans. Chaque chapitre est introduit par une partie théorique et traite ensuite de 7 thèmes : les plantes, la météo, les éléments, les animaux, les couleurs, les sons et la technique.

La petite famille représentée dans ce livre illustre l'expérimentation vécue ensemble par les enfants et leurs parents, ainsi qu'avec d'autres personnes de référence ou entre eux. Ce livre propose une multitude d'expériences, de jeux (de découverte), de devinettes, de suggestions d'activités manuelles. Il sollicite les enfants des différents groupes d'âge et leur permet d'assouvir, avec leurs parents et par la suite de manière indépendante, leur curiosité et leur envie d'apprendre, afin qu'ils éprouvent de la joie et du plaisir à expérimenter des phénomènes scientifiques.

Je remercie tous ceux qui ont contribué à la réussite de cet ouvrage et je souhaite à tous les enfants et adultes beaucoup d'amusement avec leur livre d'exploration.

Dr Ilse Wehrmann
Experte en pédagogie précoce

Observation des symboles

 Observation, jeux et expériences pour l'intérieur

 Observation, jeux et expériences pour l'extérieur

 Maximum 30 minutes   Maximum 3 heures

   Plusieurs jours

 Expérience à faire avec un adulte

2–3 ans

Pour les explorateurs en herbe

Escalader, collectionner, classer

À 2-3 ans, votre enfant sait marcher. Il commence à escalader, il veut tout voir et être toujours de la partie. Il veut aider à porter et transporter des objets, il veut manger et boire tout seul. Très curieux, il part à la découverte de son environnement. Après avoir uniquement « analysé » le jouet, il va utiliser celui-ci pour frapper tout ce qui se trouve à sa portée, comme un prolongement de ses bras. Les petits doigts tâtent un peu partout, les gouaches et les marqueurs deviennent intéressants. Votre enfant est capable de marcher très lentement et de courir très vite, de sauter, de tomber et de se relever. Il sait crier très fort et chuchoter très bas. Il apprend qu'il faut souvent être doux et prudent et qu'il faut aussi parfois saisir les objets avec énergie et force. Grâce à ses actions, votre enfant continue à développer sa motricité et la coordination de ses mouvements. C'est ainsi qu'il fait des découvertes physiques sur l'équilibre, les forces et les vitesses.

Il éprouve maintenant de l'intérêt pour les autres enfants et l'apprentissage social prend une autre dimension. Les petits différends avec ses camarades du même âge apparaissent également, tout comme les activités et l'apprentissage en commun.

Outre les activités d'exploration et d'autres activités qui sont à l'avant-plan, comme la poursuite de la découverte des informations sensorielles, la collection, la comparaison et la reconnaissance d'objets et de phénomènes, l'organisation commence à faire son apparition. Votre enfant exerce son sens de l'observation et développe son langage. Il communique ses découvertes à l'aide de gestes et de premiers mots. Les actions et l'expression par la parole s'enchaînent. Votre enfant sait ce que déjeuner, se promener ou jouer dans un bac à sable signifient.

Votre enfant trouve passionnant tout ce qui sollicite ses sens, tout ce qu'il peut faire par lui-même. Les premières réussites et les premières expériences de l'indépendance sont très importantes. C'est la raison pour laquelle les enfants de cet âge aiment collectionner et trier les objets les plus divers. Ils aiment les images et les histoires sous forme d'images, utiliser du matériel en provenance de la nature, construire et ordonner. Parmi les objets naturels, l'eau est particulièrement intéressante. Les jeux en commun et les « voyages d'exploration » viennent s'y ajouter.

Mares et flaques

Les enfants apprécient particulièrement les promenades après une averse. Permettez à votre enfant de marcher dans les flaques lors de la prochaine promenade.

Quelle est la profondeur des flaques ? Sur le trajet, votre enfant devrait se trouver un petit bâton et le plonger verticalement dans la flaque, pour « mesurer » sa profondeur. Les flaques sont-elles plus ou moins boueuses, en existe-t-il même sans boue ? Est-ce que des plantes poussent dans les flaques ? Chaussé de bottes et de vêtements de pluie, votre enfant est armé pour tous les temps et peut partir à la découverte des petites flaques d'eau de pluie qui entourent sa maison.

EXPLORER

Matériel : vêtements de pluie, bâton

1-4 explorateurs
1 assistant

Images d'écorces

L'écorce de chaque arbre représente son « visage ». Elle est parfois irrégulière et rugueuse, parfois lisse. Dessinez avec votre enfant les écorces de ses arbres préférés, et essayez ensuite de les reconnaître.

Fixez une feuille de papier sur l'écorce. Puis passez doucement sur la feuille avec le côté large de la craie.

Comparez ensuite les différentes empreintes obtenues. Les arbres qui poussent rapidement développent une écorce très rugueuse et dont la « peau » n'a pas le temps de s'étendre, de s'assouplir. C'est la raison pour laquelle cette écorce se fend et est plus rugueuse que celle des arbres qui poussent lentement.

TESTER

Matériel : papier blanc ou papier d'emballage, craies, punaises ou ruban adhésif

1-6 explorateurs
1 assistant

Plantes dans la ouate

EXPÉRIMENTER
ET OBSERVER

Matériel : plat, un peu de ouate, semences de cres-son, eau, ciseaux

1-4 explorateurs
1 assistant

Les plantes sont étonnantes, car que ce soit dans le désert, en haute mon-tagne ou dans l'eau, elles poussent partout, même sur de la ouate. Découvrez avec votre enfant comment faire pousser du cresson.

COMMENT PROCÉDER ?

Déposez une couche de ouate dans un plat et saupoudrez-la de semences de cresson. Placez ce plat à un endroit ensoleillé et aidez votre enfant à arroser les semences. La ouate doit être juste humide et non détrempée.

QUE SE PASSE-T-IL ?

Chaque jour, observez ensemble les semences. Vous constaterez qu'elles s'ouvrent et que de petites plantules en sortent. Celles-ci formeront rapide-ment un tapis vert.
Vous pouvez récolter le cresson quand il a quelques centimètres de haut. Coupez-le et passez-le rapidement sous l'eau avant d'en garnir un succulent sandwich. Bon appétit !

Délicieux !

COMMENT L'EXPLIQUER ?

Les plantes poussent à partir de semences. Pour cela, elles ont besoin de lu-mière, d'eau et de nourriture (substances nutritives). Le cresson a suffisam-ment de substances nutritives dans ses semences ; il n'a pas besoin de terre pour grandir, mais uniquement d'eau et de lumière.

Chouette, il pleut !

Fabriquez avec votre enfant un gobelet gradué pour récolter l'eau de pluie.

COMMENT PROCÉDER ?

1. Découpez grossièrement le goulot d'une bouteille en plastique et sécurisez les bords avec du ruban adhésif.
2. Pour l'alourdir, déposez des billes dans le fond de la bouteille.
3. Placez votre gobelet gradué à l'extérieur, à un endroit bien dégagé.
4. Après chaque averse, indiquez le niveau d'eau dans la bouteille au feutre indélébile, et videz ensuite la bouteille.

QUE SE PASSE-T-IL ?

À chaque averse, l'eau dans la bouteille atteint des hauteurs différentes.

COMMENT L'EXPLIQUER ?

La quantité d'eau dans la bouteille indique la quantité d'eau tombée. Lors de fortes pluies, les gouttes sont plus grosses et plus rapprochées les unes des autres. C'est la raison pour laquelle la bouteille se remplit beaucoup plus vite qu'en cas de bruine, par exemple.

BRICOLER ET EXPÉRIMENTER

Matériel : bouteille en plastique (0,5 l), ciseaux, billes ou pierres, ruban adhésif, feutre indélébile

1-2 explorateurs
1 assistant

Il pleut

Pourquoi ne pas réciter ce petit poème de temps en temps ? Vous pouvez aussi imiter le bruit des gouttes en frappant sur le dos de votre enfant.

> *Gouttes d'eau, gouttes d'eau,*
> *goutte à goutte,*
> *elles tombent sur mon dos.*

Si vous avez un peu d'imagination, créez vos propres rimes. Demandez à votre enfant de vous aider. Trouvez ensemble d   ..mes rigolotes : plaisir garanti pour tous les deux !

RIMES

2-4 joueurs

Gouttes d'eau en image

Il pleut dehors ? Super ! Dessinons des gouttes d'eau.

TESTER

Matériel : feuille blanche, pinceau, gouache, support fixe, vêtements de pluie

1-4 explorateurs
1 assistant

COMMENT PROCÉDER ?

1. Demandez à votre enfant de peindre toute la surface d'une feuille de papier avec sa couleur préférée. Pour cela, il doit prendre beaucoup de peinture et peu d'eau.
2. C'est le moment d'enfiler les bottes en caoutchouc et l'imperméable et de sortir sous la pluie pour attraper les gouttes. Votre enfant dépose sa feuille de papier sur le support et la tient devant lui pour qu'il pleuve sur la feuille. Attention : rentrez tous vite avant que la feuille ne soit détrempée et laissez sécher l'image. Vous obtenez ainsi un modèle de gouttes.

Tourbillon

JEU DE MOUVEMENT

4-20 joueurs

Deux joueurs se tiennent par la main. Ils forment le tourbillon et doivent attraper les autres enfants. Celui qui est « attrapé » par le tourbillon devient lui-même tourbillon et il se joint aux autres enfants.
Et cela continue : le tourbillon essaie d'attraper tous les enfants. S'il y a plus de 4 enfants qui jouent ensemble, le tourbillon peut se diviser. Ce sont 2 tourbillons qui essaient alors d'attraper les enfants.

La neige se transforme en eau

COMMENT PROCÉDER ?

Sortez avec votre enfant et remplissez un verre avec de la neige. Ne la tassez pas. Rentrez ensuite et placez la neige dans un endroit chaud, par exemple près d'un radiateur. Vous pouvez maintenant observer ensemble comment la neige fond progressivement. Éventuellement, remplacez la neige par de la glace du congélateur.

Pendant ce temps, vous pouvez raconter l'histoire du bonhomme de neige à votre enfant :

Il était une fois un bonhomme de neige qui rôdait toujours près de la gare, rêvant de partir au loin pour un très beau voyage. « Ah, si je pouvais découvrir le monde, se disait-il, je ne resterais pas plus longtemps ici. J'irais voir l'Égypte et ses pyramides et je me promènerais le long du Nil. Je traverserais le désert à dos de chameau pour atteindre la côte espagnole. »
Puis un jour, il réalisa qu'il aimait bien la neige. « Je vais continuer à rêver et rester ici, je ne veux plus aller à l'étranger », décida-t-il.
Et c'est ainsi que le gentil bonhomme de neige resta chez nous, préférant continuer à rêver de beaux voyages.

(Monika Diemer)

QUE SE PASSE-T-IL ?

La neige dans le verre fond et se change en eau.
Si on observe la neige de près, on voit les petits cristaux de neige fondre. Le niveau de l'eau est plus bas que le niveau de la neige, avant qu'elle ne fonde.

COMMENT L'EXPLIQUER ?

La neige ne peut exister que dans le froid. Dans un environnement chaud, elle devient liquide. La neige est composée de nombreux petits cristaux, qui sont entourés d'une grosse quantité d'air. Dans l'eau, il n'y a plus d'air, c'est la raison pour laquelle l'eau a besoin de moins de place que la neige qui se trouvait avant dans le verre.

EXPÉRIMENTER ET OBSERVER

Matériel : verre, neige, source de chaleur

1-2 explorateurs
1 assistant

Domino de la météo

BRICOLER ET JOUER

Matériel : carton blanc pour photos, ciseaux, feutres de couleur

3-4 joueurs

COMMENT PROCÉDER ?

1. Dans le carton pour photos, découpez une quarantaine de cartes carrées de la même taille. Sur le recto, tracez une ligne épaisse exactement au milieu, comme pour les dominos.

2. Il faut maintenant peindre les cartes de la météo : sur le côté gauche, dessinez des symboles, par exemple un soleil, de la pluie, des flocons de neige ou de la glace. À droite, dessinez des objets typiques mais qui ne correspondent pas aux symboles de gauche, par exemple un parapluie, un maillot de bain, un tee-shirt, une écharpe, des patins à glace ou des bottes en caoutchouc.

3. Chaque joueur reçoit 6 cartes, les autres cartes sont mélangées et retournées et forment une pile. La première carte de la pile est retournée et placée au milieu. Chaque joueur pose ensuite une de ses cartes pour faire une rangée, par exemple les flocons de neige avec l'écharpe ou le maillot de bain avec le soleil. Celui qui ne peut rien mettre prend une nouvelle carte dans la pile. Le jeu est terminé quand plus personne ne peut mettre de carte, ou qu'il n'y a plus de cartes à distribuer.

Qu'y a-t-il dans la terre ?

Découvrez ensemble ce qui se cache dans le sol.

COMMENT PROCÉDER ?

1. Aidez votre enfant à creuser un trou dans le sol avec les mains ou une pelle et déversez la terre pour faire un tas.
2. Observez attentivement la terre entassée. Prenez aussi une loupe pour l'analyser. Faites bien attention que votre enfant n'avale rien !

EXPÉRIMENTER ET OBSERVER

Matériel : pelle ou bêche, loupe

1-6 explorateurs
1 assistant

QUE SE PASSE-T-IL ?

Votre enfant va découvrir plusieurs choses. Plus il creuse profondément, plus la terre va lui paraître froide et humide.

COMMENT L'EXPLIQUER ?

Des détails intéressants peuvent être observés dans le sol. Il n'y a pas seulement de la terre et des pierres de tailles différentes, mais aussi des racines et des morceaux de plantes. De plus, des animaux comme des coléoptères, des larves et des vers de terre vivent ici et il est possible de les observer à la loupe pour les voir avec précision.

EXPÉRIMENTER ET OBSERVER

Matériel : plat en verre ou baignoire remplie d'eau, petite bouteille en plastique

1 explorateur
1 assistant

Faire des bulles

COMMENT PROCÉDER ?

Remplissez le plat ou la baignoire d'eau. Plongez ensuite la bouteille vide dans l'eau en la tenant de biais, l'ouverture étant placée vers le haut.

QUE SE PASSE-T-IL ?

Des bulles d'air passent dans la bouteille et disparaissent ensuite à la surface de l'eau. Simultanément, l'eau coule dans la bouteille.

COMMENT L'EXPLIQUER ?

Dans la bouteille se trouve de l'air, qui est invisible. Pour que l'eau puisse entrer dans la bouteille, l'air doit s'en aller. L'air est plus léger que l'eau, et c'est pourquoi il monte. En faisant cela, il se forme des bulles d'air qui éclatent à la surface de l'eau : l'air arrive dans la pièce.

Léger comme une plume

JOUER

Matériel : 1 plume d'oiseau par joueur

2-4 joueurs

Chaque enfant reçoit une plume et la dépose dans la paume de sa main. Il s'agit maintenant de transporter la plume le plus vite possible sans la perdre, en suivant un parcours établi. Attention : la plume est tellement légère qu'elle se soulève facilement et descend en ondulant vers le sol. Qui va réussir à atteindre le premier le but sans perdre sa plume ?

Moi aussi, je peux onduler !

Jeux d'eau

Découvrez avec votre enfant les réactions de l'eau. Comment réagit l'eau quand on la « frappe », quand on la fait tourbillonner ou qu'on la caresse de la main ?

Juste à point !

SENTIR ET TESTER

Matériel : 3 petits saladiers transparents, 1 plat plus grand, 2 gants de toilette, glaçons

1-3 explorateurs
1 assistant

COMMENT PROCÉDER ?

1. Remplissez un saladier avec de l'eau chaude, un autre avec de l'eau froide et le troisième avec des glaçons. Laissez votre enfant plonger la main dans les différents saladiers.
2. Laissez votre enfant plonger l'un des deux gants de toilette dans l'eau (la chaude ou la froide, peu importe).
3. Placez le plat plus grand rempli d'eau dans la baignoire ou, s'il fait beau, dehors dans le jardin. Laissez votre enfant frapper l'eau avec le plat de la main, laissez-le caresser l'eau, souffler dessus ou la faire tourbillonner avec la main.

QUE SE PASSE-T-IL ?

L'eau dans les saladiers procure une sensation différente selon qu'elle est chaude, fraîche ou froide. Les glaçons sont très froids. Le gant de toilette plongé dans l'eau est mouillé et lourd, le gant non mouillé est sec et léger. D'après la force avec laquelle l'eau est frappée avec le plat de la main, elle est ressentie comme étant dure ou souple. On peut même mettre l'eau en mouvement en la caressant tout doucement.

COMMENT L'EXPLIQUER ?

L'eau peut prendre toutes les températures. Le gant de toilette mouillé s'est complètement imbibé d'eau et est devenu plus lourd que le gant de toilette sec. Si l'on frappe assez fort avec le plat de la main, l'eau ne peut pas s'écarter très rapidement sur le côté et elle est ressentie comme étant plus dure. Si l'on frappe l'eau lentement, elle semblera plus souple, car elle dispose de plus de temps pour éviter la main.

Qu'est-ce qui flotte ?

EXPÉRIMENTER
ET OBSERVER

Matériel : grand plat en verre, eau, nombreux petits objets qui peuvent flotter ou qui coulent (petits morceaux de bois, pierres, liège, cubes, pâte à modeler)

1 explorateur
1 assistant

Grâce à cette expérience, votre enfant découvre que les objets peuvent flotter ou couler dans l'eau. De plus, il apprend que non seulement le poids mais aussi la forme d'un objet déterminent qu'il flotte ou qu'il coule.

COMMENT PROCÉDER ?
1. Rassemblez des objets très différents et faites-en un tas.
2. Remplissez le plat en verre avec de l'eau et laissez votre enfant mettre les objets pêle-mêle dans l'eau. Observez ensemble comment les objets réagissent.
3. Formez ensuite une petite boule, puis un radeau en pâte à modeler et mettez-les à l'eau. Lestez aussi le radeau avec des pierres.

QUE SE PASSE-T-IL ?
Certaines choses descendent et coulent au fond, d'autres flottent à la surface.

COMMENT L'EXPLIQUER ?
Qu'un objet coule ou flotte ne dépend pas seulement de son poids ou de sa taille. En effet, un grand bateau très lourd flotte aussi sur l'eau. Ce qui est déterminant, c'est la quantité d'eau qu'un objet déplace par rapport à son poids. Le radeau en pâte à modeler est plus léger que la quantité d'eau qu'il déplace : il flotte. La boule en pâte à modeler est plus lourde que la quantité d'eau qu'elle déplace : elle coule.

Pour illustrer cela, lisez ces vers à votre enfant :

RIMES

> *Qu'y a–t-il au loin sur l'eau ?*
> *Est-ce une feuille ou bien une pierre ?*
> *Est-ce une branche ou bien du fer ?*
> *Feuille et branche vont flotter !*
> *Pierre et fer vont couler !*
>
> *(Monika Diemer)*

Jouer au détective d'animaux

Aha !

Quand nous parlons d'animaux, nous pensons en premier lieu aux chiens, chats et oiseaux. Nous attirons souvent l'attention de nos enfants sur eux, quand ils nous accompagnent. Mais de simples observations nous permettent de constater que le monde animal est bien plus riche. À vous de jouer au « détective pour animaux » et de chercher ensemble, mais aussi dans un esprit de compétition, de petits animaux dans l'habitation, comme les mouches, les petites araignées, les coccinelles ou d'autres animaux que vous pouvez trouver dans des livres d'images, des morceaux de tissus, des revues ou sur des ustensiles de cuisine.

VARIANTE I : Vous pouvez aussi comparer des représentations différentes, le coléoptère dans le livre d'images avec celui du dictionnaire, le singe sur une tasse avec celui de la revue. Vous pouvez aussi essayer de trouver quels sont les insectes rampants, par exemple.

VARIANTE 2 : Partez en expédition dans votre jardin ou sur le balcon. Quelques jours à l'avance, placez des pots de fleurs sur le sol ou entassez un peu de vieux bois et de feuilles dans un coin. Partez ensuite ensemble à la recherche de petits animaux. Qui s'est caché sous le pot de fleurs ? Qui est en train de gratter dans le tas de bois ?
Les petits enfants n'ont pas peur de toucher les insectes, les coléoptères et les araignées. Ils trouvent généralement les petits animaux très intéressants. Servez-vous de cet intérêt pour le monde animal, même si vous n'êtes vous-même pas tout à fait rassuré.

OBSERVER

Matériel : livres, revues, morceaux de tissus, ustensiles de cuisine

1-3 explorateurs
1 assistant

OBSERVER

Matériel : pots de fleur, vieux bois, feuilles

1-3 explorateurs
1 assistant

Le monde des oiseaux

OBSERVER

Matériel : boule pour mésange, nourriture pour oiseaux en vrac, eau

Recette pour la variante : sac de nourriture pour oiseaux, 200 g de graisse de noix de coco, petits moules à biscuits, cuiller en bois, ficelle

1-3 explorateurs
1 assistant

Il n'est pas absolument nécessaire de se lever à l'aube pour observer les oiseaux, même si les ornithologues le font. On peut, par exemple, attirer les oiseaux avec de la nourriture, pour les observer quand ils viennent manger.

En hiver, vous pouvez suspendre une boule à mésange devant la fenêtre et observer avec votre enfant les oiseaux en train de picorer et de grignoter. Quels sont les oiseaux qui sont attirés par la mangeoire ? Est-ce qu'ils viennent régulièrement ? Les oiseaux se disputent-ils autour de la mangeoire ? Comment saisissent-ils les graines ? En été, il est facile d'observer les oiseaux près d'un petit abreuvoir que vous aurez au préalable installé ensemble. Observez-les quand ils viennent boire. Vous pouvez aussi consulter avec votre enfant des livres d'images, des revues ou des ouvrages de référence et rechercher les oiseaux vus ainsi que d'autres.

Les graines de tournesol, c'est ce que je préfère !

VARIANTE : Vous pouvez inviter les oiseaux à venir déguster de la nourriture faite maison. Votre enfant sera ravi de la confectionner avec vous !

COMMENT PROCÉDER ?

Faites fondre la graisse de noix de coco à feu doux et ajoutez, en mélangeant, des noix, des semences et des graines de tournesol. Laissez refroidir pendant un moment, puis versez ensemble cette « pâte » dans de petits moules. Avant qu'elle ne soit tout à fait dure, faites un trou au centre à l'aide d'un manche de cuiller. Vous pourrez ainsi passer une ficelle à travers le trou pour suspendre la nourriture à l'extérieur. Pour qu'ils durcissent bien, placez les « biscuits » pendant une nuit dans un endroit frais.

Mémo des animaux

COMMENT PROCÉDER ?

1. Découpez un nombre pair de cartes de taille identique, dans du papier carton fin.
2. Collez dessus des images d'animaux, que vous aurez trouvées dans des illustrés. L'astuce : Trouvez deux images du même animal, mais qui ne se ressemblent pas, par exemple un grand chien et un petit, un chat noir et un brun. Vous aurez beaucoup de plaisir à recomposer les paires de cartes ! Quand vous retrouvez les cartes, dites toujours à votre enfant le nom de l'animal.

VARIANTE : Avec les images d'animaux que vous avez découpées, vous pouvez réaliser ensemble des collages : créez des animaux fabuleux, comme un animal avec une tête de cheval, un cou de girafe, un ventre de singe, des pieds de canard et une queue de chat !

Devinettes d'animaux

Montrez à votre enfant des images de différents animaux et demandez-lui de les nommer. Va-t-il trouver la bonne réponse ? S'il ne sait pas, cherchez ensemble. Essayez de trouver d'autres devinettes !

Quel est l'animal qui a toujours son peigne avec lui, alors qu'il n'a pas de cheveux ?
Le coq. Il le porte sur la tête.

Quel animal est le plus fort ?
L'escargot. Il porte sa maison sur son dos.

BRICOLER ET JOUER

Matériel : ciseaux, carton fin, journaux, revues ou dépliants

2 joueurs

DEVINETTES

Matériel : images d'animaux venant de revues ou de livres

2-4 joueurs

Jeu des dés de couleur

BRICOLER ET JOUER

Matériel : gouaches ou feutres de couleur, papier, carton, colle, ciseaux, vêtements de couleur

2-4 joueurs

Grâce aux dés de couleur, votre enfant découvrira le monde des couleurs. Il est préférable qu'il ait appris au préalable à reconnaître les couleurs, par exemple en triant des boutons, des feutres ou des pinces à linge.

COMMENT PROCÉDER ?

Réalisez avec votre enfant un dé de couleurs dans du carton fin ou du papier assez épais. Votre enfant peut colorer les faces du dé (une couleur différente sur chaque face) avec de la gouache ou des gros feutres. Vous pouvez agrandir le modèle autant de fois que vous le désirez !
Le dé est composé de six faces carrées identiques. Pour pouvoir coller le dé après l'avoir plié, il faut faire de petits bords, comme on le voit sur le modèle.

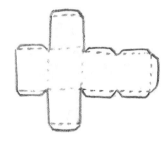

Les vêtements : Votre enfant et vous lancez alternativement le dé. Chacun cite la couleur qui se trouve sur la face du dé qu'il a lancé et va ensuite chercher dans sa garde-robe un vêtement de cette couleur. Pour terminer, chacun enfile le vêtement qu'il a trouvé.

Les empreintes : Préparez des gouaches qui reprennent les couleurs des faces du dé ainsi que du papier à dessin. Un premier joueur lance le dé et réalise sur le papier une empreinte de son doigt de la couleur de la face du dé. Son doigt est ensuite essuyé avec un mouchoir en papier et c'est le tour du joueur suivant. Le premier à avoir obtenu six empreintes de six couleurs différentes (les six faces du dé !) est le vainqueur. On peut varier les règles : celui qui a obtenu deux fois de suite la même couleur peut rejouer ou au contraire doit passer son tour.

Empreinte de pied

La gouache permet de faire facilement de jolies empreintes. Placez le papier sur le sol, ou en été dans la véranda, sur le balcon ou la terrasse. Recouvrez votre plante de pied, celle de votre enfant ou d'une poupée de gouache, chacun utilisant une couleur différente. Appuyez fermement le pied sur le papier. Vous pouvez comparer : qui a les plus grands pieds ? Que se passe-t-il si vous faites se chevaucher les empreintes ?

JOUER ET OBSERVER

Matériel : papier de grand format (papier d'emballage), gouaches
Pour la variante 2 : dé aux faces colorées, pions

2-4 joueurs

VARIANTE 1 : Vous pouvez réaliser des modèles différents et les trier, par exemple, par taille ou par couleur. Faites se suivre l'empreinte d'un grand pied, d'un petit pied et d'un pied minuscule, ou un pied bleu, un pied rouge et un pied jaune. Vous pouvez bien sûr aussi faire des empreintes de main.

VARIANTE 2 : Vous pouvez réaliser un tapis de jeu avec des suites d'empreintes de couleurs différentes. Le tapis de jeu doit avoir un début et une fin. Quand les couleurs sont sèches, vous pouvez lancer le dé et jouer. Chacun reçoit un pion. On lance ensuite le dé, à tour de rôle. Le but est de lancer la couleur de l'empreinte suivante. Celui dont la face de dé a la bonne couleur peut avancer et lancer encore une fois le dé. Si ce n'est pas la bonne couleur qui apparaît, c'est au tour du joueur suivant. On peut faire varier le jeu : les participants peuvent sauter sur l'empreinte qui suit la couleur qu'ils ont obtenue, par exemple.

Voilà à quoi ressemblent mes empreintes !

C'est le soleil qui dessine

BRICOLER ET OBSERVER

Matériel : papier de couleur, colle ou ruban adhésif repositionnable

1 explorateur
1 assistant

COMMENT PROCÉDER ?

Laissez votre enfant coller un motif sur une feuille de papier colorée. Comme le motif doit pouvoir être retiré par la suite, il faut utiliser de la colle ou du ruban adhésif repositionnable. Posez la feuille sur le rebord de fenêtre.

QUE SE PASSE-T-IL ?

Quelques jours plus tard, quand on retire le motif, on voit apparaître la forme en dessous : alors que le papier tout autour s'est légèrement décoloré, la partie recouverte n'a pas changé.

COMMENT L'EXPLIQUER ?

Le soleil a « dessiné » une image, parce que ses rayons ont blanchi la partie de papier non recouverte. La couleur de départ du papier n'a pas changé à l'endroit où il était recouvert.

Silhouettes

OBSERVER

Matériel : papier, lampe de bureau, feutres

2 joueurs

Votre enfant se tient de profil contre un mur, sur lequel vous aurez au préalable fixé un papier à la hauteur de sa tête. Éclairez-le avec la lampe et tracez sur le papier le contour de sa silhouette. Votre enfant peut maintenant s'admirer. Il voudra peut-être peindre sa silhouette ?

VARIANTE : Projetez la silhouette de divers objets sur le mur. De quelle manière leur taille change-t-elle quand la distance par rapport au mur est modifiée ?

COMMENT L'EXPLIQUER ?

Plus la distance de l'objet par rapport au mur est grande, plus on s'approche de la source de lumière, et plus grande est la quantité de lumière cachée. C'est la raison pour laquelle l'ombre devient plus grande et plus floue.

Fabriquer un tambour

COMMENT PROCÉDER ?

1. Dans le papier transparent, découpez un cercle dont le diamètre est plus large de 3 cm que la boîte. Humidifiez légèrement le papier avec de l'eau froide.

2. Le papier est placé sur la boîte et fixé avec un élastique. Attention : il faut bien le tendre ! Pour que le papier sèche, placez la boîte sur le chauffage ou au soleil. Lors du séchage, le papier rétrécit légèrement, de sorte que le tambour présente une belle surface lisse et tendue.

3. Pendant que le papier sèche, préparez les bâtons. Une des extrémités de chaque baguette est enveloppée d'une épaisse couche de ouate. On l'enveloppe ensuite d'une serviette que l'on fixe avec de la ficelle.

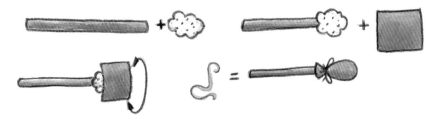

Laissez votre enfant taper lentement ou rapidement, avec douceur ou avec force sur le tambour. À quel endroit le son est-il plus aigu, et où est-il plus sourd ?

FABRIQUER ET TESTER

Matériel : boîte de conserve vide avec un bord lisse, papier transparent rigide (pour dessins techniques), 2 baguettes, ouate, 2 serviettes, ciseaux, ficelle, élastique

1-2 joueurs

PERCEVOIR

Matériel : aliments

2 explorateurs

S'écouter manger

Manger bruyamment ou encore faire des rots ne sont pas précisément de bonnes manières à table. Cependant, manger n'est jamais très silencieux, du moins pour notre oreille interne. Faites écouter votre enfant : qu'entend-il quand il croque dans une pomme et la mâchonne, quand il suce un bonbon ou quand il boit ? C'est fou tout ce que l'on peut entendre quand on se concentre et que l'on « écoute de l'intérieur » !

Je fais toujours beaucoup de bruit quand je croque mes noix.

Sac à chuchoter

BRICOLER ET EXPÉRIMENTER

Matériel : papier DIN-A4, ruban adhésif

1-2 explorateurs
1 assistant

Placez-vous l'un en face de l'autre et chuchotez une phrase simple. Ensuite chuchotez cette phrase dans l'oreille en formant un entonnoir avec votre main, pour que votre enfant vous entende encore mieux. Et si vous bricoliez ensemble un sac à chuchoter ?

COMMENT PROCÉDER ?

Enroulez une feuille de papier DIN-A4 de manière à obtenir un entonnoir, dont une extrémité possède une ouverture de la taille d'un euro et l'autre extrémité une ouverture la plus grande possible. Collez le sac à chuchoter avec du ruban adhésif, pour qu'il ne se déroule pas.

QUE SE PASSE-T-IL ?

Placez le sac tout près de votre oreille. Demandez à votre enfant de chuchoter une phrase dedans. Vous allez très bien le comprendre, et votre enfant vous entendra mieux grâce au sac à chuchoter.

COMMENT L'EXPLIQUER ?

Cet effet est obtenu parce que le sac en forme d'entonnoir rassemble les sons et les guide directement dans l'oreille ou dans ses environs.

Une lourde charge

Les objets lourds sont bien sûr lourds à porter. Pour se faciliter le travail, essayez ceci.

PRÉPARATION :

Laissez votre enfant construire des tours et des ponts avec ses cubes, laissez-le faire rouler ses voitures dessus jusqu'à ce que tout s'effondre. C'est de cette manière qu'il va apprendre à réaliser des constructions stables.

COMMENT PROCÉDER ?

1. Prenez un long bâton robuste. Placez un livre lourd dans un sac en tissu ou dans un sachet en plastique assez solide.
2. Votre enfant tient le bâton par une extrémité, de manière qu'il soit à horizontale derrière lui.
3. Suspendez le sac au bâton, d'abord tout près de ses mains, puis tirez-le lentement vers l'autre extrémité du bâton. Quand le poids est-il le plus facile à porter pour l'enfant ?

EXPÉRIMENTER

Matériel : cubes de construction, petites voitures, bâton, sac ou sachet en plastique, livre lourd

1 explorateur
1 assistant

QUE SE PASSE-T-IL ?

Si le sac pend loin de l'enfant, il deviendra de plus en plus difficile de maintenir le bâton à l'horizontale, bien que le poids dans le sac ne soit pas plus lourd. Quand le sac est tout près de l'enfant, il est plus facile à porter.

COMMENT L'EXPLIQUER ?

Plus le sac est éloigné du corps, plus l'enfant a besoin de force pour tenir le bâton.

Cheveux dressés

EXPÉRIMENTER

Matériel : ballon de bau-
druche, pull ou bonnet en
laine ou synthétique

1-4 explorateurs
1 assistant

Cette expérience ayant pour thème l'électricité réussit toujours et est de plus très amusante !

COMMENT PROCÉDER ?
1. Gonflez un ballon.
2. Frottez le ballon sur le pull. Le mieux est un pull en laine ou en matière synthétique.
3. Tenez maintenant le ballon tout près de la tête de votre enfant.

QUE SE PASSE-T-IL ?
Les cheveux de votre enfant se dressent.

COMMENT L'EXPLIQUER ?
Par le frottement, le ballon s'est chargé. Il attire les cheveux, comme un ai-mant est attiré par le fer.

Pour les petits curieux

Parler, classifier, construire

Vers 3-4 ans, ce sont en particulier le langage et la motricité fine qui se développent. Vous avez certainement remarqué que votre enfant préfère s'habiller sans aide. Il lui arrive souvent d'être très absorbé par ses activités. À d'autres moments, il semble rêver ou ne veut pas vous accompagner, quelle que soit l'urgence. Il devient de plus en plus indépendant et aussi plus sûr de lui – ce que vous ressentez peut-être comme du rejet ou une phase de défi. Dans cette tranche d'âge et avec les expériences qu'il a déjà acquises, votre enfant se « construit » dans sa tête un monde de plus en plus complexe. Ce qu'il apprend est transformé en langage et en successions d'actions. Vous êtes certainement très étonné de voir qu'il essaie de faire part de ses propres expériences ou de son vécu avec ses propres mots.

Dans ses explications avec les enfants de son âge et avec d'autres adultes, votre enfant apprend énormément de choses nouvelles par l'observation et l'imitation. D'autres personnes vont aussi influencer ses progrès, en lui apprenant de nouveaux mots, de nouvelles choses et en lui faisant faire de nouvelles expériences.

Lors de la découverte, c'est naturellement le fait de comparer des objets et des situations qui est au premier plan, mais avec l'envie et la faculté toujours plus grande de classifier les objets et les situations. Votre enfant partage de plus en plus ses découvertes à l'aide de mots. À cela s'ajoutent l'organisation et la « construction ». Votre enfant devient de plus en plus habile. Il découvre les caractéristiques des objets qui font son environnement et fait des liens judicieux. Il exerce son sens de l'observation, tout en apprenant à mieux utiliser les outils ou les accessoires, ainsi que le langage.

Tout ce que votre enfant peut faire seul, tout ce qui fait appel à ses sens l'étonne et devient passionnant. C'est pourquoi il aime collectionner, ranger et comparer des objets, manipuler des matériaux naturels, construire et mettre en forme, mais encore plus observer de manière précise et plus longtemps. Il aime réaliser et terminer une activité.

Safari dans les arbres

On peut reconnaître les arbres à leur écorce. Mais il est bien plus facile de les distinguer par leurs feuilles, qui sont très différentes. Emportez un sac lors de votre prochaine promenade en forêt et rassemblez des feuilles avec votre enfant.

À la maison, vous pouvez les trier : quelles sont les feuilles qui ont une forme identique ? Quelles sont les différentes formes que l'on trouve ?

Et pourquoi ne pas essayer de retrouver à quels arbres appartiennent ces feuilles ? Pour vous y aider, vous trouverez ci-dessous quelques feuilles aux formes caractéristiques des arbres les plus courants.

COLLECTIONNER ET OBSERVER

Matériel : feuilles de toutes sortes d'arbres

1 explorateur
1 assistant

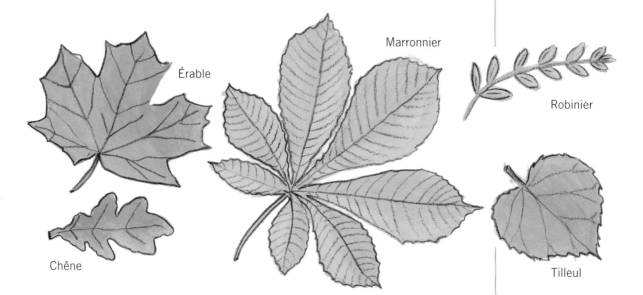

Érable

Marronnier

Robinier

Chêne

Tilleul

VARIANTE : Si vous laissez sécher les feuilles, en les pressant dans un annuaire téléphonique par exemple, vous pourrez ensuite les coller sur du papier et les dessiner.

Presser des fleurs

Au cours de votre prochaine promenade avec votre enfant, cueillez les fleurs que vous trouvez au bord du chemin, dans les bois ou dans les prairies, de manière à obtenir un bouquet très coloré. En pressant bien les fleurs pour les sécher, elles se conserveront longtemps.

Prenez un gros annuaire téléphonique et laissez votre enfant placer une fleur entre deux pages. Il faut laisser plusieurs pages entre les fleurs, car les feuilles de l'annuaire vont absorber l'humidité des fleurs. Pour accélérer le processus, vous pouvez disposer une feuille de papier buvard sur chaque fleur. Refermez ensuite l'annuaire téléphonique et alourdissez-le en plaçant un livre épais par-dessus.

L'annuaire doit rester fermé de 6 à 7 jours. Quand les fleurs sont bien séchées, l'enfant peut les sortir délicatement et coller chaque fleur sur une feuille de papier cartonné. Il suffit ensuite d'inscrire à côté de chaque fleur la date et l'endroit où elle a été trouvée. Si vous connaissez le nom de la fleur, pourquoi ne pas le lui dévoiler ?
Avec les fleurs séchées, réalisez aussi de jolis cartons d'invitation ou du papier à lettres original.

BRICOLER ET OBSERVER

Matériel : annuaire téléphonique, livre lourd, fleurs cueillies, papier cartonné de différentes couleurs, bâton de colle ou ruban adhésif, marqueur

1-4 explorateurs
1 assistant

Brin d'herbe *sifflant*

Un brin d'herbe peut se transformer très vite en un petit instrument de musique très pratique. Cherchez dans une prairie un brin d'herbe long et solide et cueillez-le.

Montrez à votre enfant comment tenir le brin d'herbe entre les deux pouces. Il doit être bien tendu. Ensuite, demandez à votre enfant de souffler avec force dans la fente entre les deux pouces.

Le brin d'herbe commence à vibrer et un sifflement aigu se fait entendre. Encouragez votre enfant à recommencer si cela ne réussit pas dès la première fois. Avec un peu d'entraînement, votre enfant réussira à sortir rapidement quelques sons du brin d'herbe.

TESTER

Matériel : brin d'herbe solide et large

1-4 explorateurs
1 assistant

Moi, en tout cas, je siffle mieux !

Jeu des thés

La plupart des sortes de thés sont fabriquées à partir de fleurs ou de feuilles. Bien que les plantes utilisées pour les thés actuels soient séchées, elles conservent quand même leur goût caractéristique.

Organisez un petit jeu avec votre enfant : prenez 2 à 4 sortes de thés, par exemple à la cannelle, au cynorrhodon (églantier), à la camomille ou à la menthe. Préparez une tasse de chaque sorte et demandez à votre enfant de les goûter les yeux bandés. Est-ce qu'il distingue les différences et reconnaît les thés à leur parfum ?

VARIANTE : Pour faciliter les choses, faites sentir à votre enfant les herbes fraîches, la menthe par exemple.

TESTER

Matériel : différentes sortes de thés, eau, tasses, bandeau pour les yeux

1-2 explorateurs
1 assistant

Les petits pois font-ils du bruit ?

Cette expérience permet de démontrer merveilleusement l'interaction entre l'eau et les semences de plante.

Matériel : plateau, papier d'aluminium, 2 gobelets en plastique, pois secs, eau

1 explorateur
1 assistant

COMMENT PROCÉDER ?

1. Recouvrez un plateau d'une feuille de papier d'aluminium. Placez les gobelets dessus et remplissez-les jusqu'au bord de pois secs.
2. Versez de l'eau dans un gobelet à ras bord. Faites bien attention qu'aucun pois ne tombe du gobelet. L'autre gobelet n'est pas rempli d'eau, pour pouvoir comparer.
3. Observez ensemble ce qui se passe durant les heures qui suivent. Est-ce que vous entendez quelque chose ?

QUE SE PASSE-T-IL ?

Après un certain temps, on entend des crépitements. Quelques pois ont sauté hors d'un gobelet et sont tombés sur la feuille d'aluminium. Mais de quel gobelet sont-ils tombés ?

COMMENT L'EXPLIQUER ?

Les pois tombent du gobelet rempli d'eau. Les pois gonflent dans l'eau et grossissent. De ce fait, il n'y a plus assez de place dans le gobelet. Dans la nature, la plupart des semences attendent l'humidité avant de commencer à germer et à pousser. Ce n'est que grâce à l'eau que les germes survivent et grandissent.

Que boivent les plantes ?

Dans le premier chapitre, votre enfant a déjà fait pousser du cresson. Lors de cette expérience, le cresson avait été arrosé avec de l'eau. Est-ce que cette expérience pourrait réussir avec un autre liquide, par exemple du jus de citron ? Avant de réaliser l'expérience, faites goûter à votre enfant un peu de jus de citron et ensuite un peu d'eau pour qu'il puisse comparer les deux liquides. Recherchez les similitudes et les différences : le jus de citron et l'eau sont tous les deux des liquides, mais le jus de citron a un goût plus acide.

COMMENT PROCÉDER ?

1. Posez un fond de ouate sur les deux soucoupes.
2. Avec votre enfant, versez goutte à goutte un peu d'eau sur la ouate d'une soucoupe et un peu de jus de citron sur l'autre.
3. Répartissez les semences de cresson dans les deux soucoupes et renversez un bocal à confiture sur chacune d'elles.
4. Placez les soucoupes à un endroit chaud, de préférence sur un rebord de fenêtre.

QUE SE PASSE-T-IL ?

Les semences réparties sur la ouate arrosée avec de l'eau germent. Par contre, on ne voit rien venir sur la ouate arrosée de citron.

COMMENT L'EXPLIQUER ?

Les semences absorbent aussi bien l'eau que le jus de citron, mais l'acidité du jus de citron empêche les semences de germer. Pour pousser, les plantes ont absolument besoin d'eau.

EXPÉRIMENTER ET OBSERVER

Matériel : 2 soucoupes, ouate, eau, jus de citron, 1 cuiller à soupe, 2 bocaux à confiture vides, semences de cresson

1-4 explorateurs
1 assistant

Qu'est-ce que tu vois ?

Une douche arc-en-ciel

TESTER ET JOUER

Matériel : arroseur de pe-
louse ou tuyau d'arrosage,
temps chaud et soleil

1 explorateur
1 assistant

COMMENT PROCÉDER ?

Faites en sorte que l'eau sorte très finement de l'arroseur ou du tuyau d'arro-sage. Il faut que vous ayez le soleil dans le dos et que l'eau jaillisse devant vous, vers le haut.

QUE SE PASSE-T-IL ?

On voit apparaître un petit arc-en-ciel. Les courageux peuvent traverser le « mur de pluie » en courant et essayer « d'attraper » l'arc-en-ciel.

COMMENT L'EXPLIQUER ?

Nous percevons la lumière du soleil comme étant blanche. En réalité, elle est composée de nombreuses couleurs. On distingue les différentes couleurs quand les rayons du soleil brillent à travers les gouttes d'eau. À cause de la forme ronde des gouttes et de leur transparence, la lumière blanche est dé-composée en sept couleurs – rouge, orangé, jaune, vert, bleu, indigo et violet. Les couleurs apparaissent toujours dans le même ordre.

VARIANTE : Vous pouvez aussi créer un petit arc-en-ciel avec des fontaines et des jets d'eau – à condition qu'il y ait du soleil !

Moi aussi,
j'ai les couleurs
de l'arc-en-ciel.

Quel ballon rebondit le mieux ?

COMMENT PROCÉDER ?
Les enfants jouent avec un ballon bien gonflé et un qui est presque dégonflé.

QUE SE PASSE-T-IL ?
Le ballon bien gonflé rebondit en l'air, le ballon qui ne contient presque plus d'air est cabossé et reste à terre, sans rebondir.

COMMENT L'EXPLIQUER ?
Un ballon peut rebondir parce qu'il est élastique. Cette élasticité provient du fait qu'il est complètement rempli d'air. Le ballon dégonflé est un corps mou. Il se déforme après le choc et garde cette forme. C'est pourquoi il ne rebondit pas.

TESTER ET JOUER

Matériel : ballon bien gonflé, ballon dégonflé

2-6 joueurs

Prairie aérienne

COMMENT PROCÉDER ?
Gonflez les ballons (pas trop !) et remplissez-en la housse de coussin. Refermez ensuite la housse à l'aide des boutons.

QUE SE PASSE-T-IL ?
Il est tout à fait possible de faire de la gymnastique sur cette prairie remplie de ballons, sans qu'aucun n'éclate !

COMMENT L'EXPLIQUER ?
Les ballons de baudruche sont fermement maintenus par la housse. Un ballon unique éclaterait sous le poids d'un enfant. Mais dans ce cas-ci, comme la garniture est serrée, la pression créée par le poids des enfants se répartit de manière identique sur tous les ballons. Aucun ballon ne se dilate suffisamment pour éclater.

TESTER ET JOUER

Matériel : environ 10 ballons de baudruche, housse d'un oreiller/ coussin

2-3 joueurs
1 assistant

Éléments : terre, eau, air et feu

De quoi est faite la terre ?

EXPÉRIMENTER ET OBSERVER

Matériel : bocal, eau, bâton pour remuer, terre

1-2 explorateurs
1 assistant

COMMENT PROCÉDER ?

1. Versez la terre sur un support propre et observez avec votre enfant tout ce qu'il y a à découvrir.
2. Remplissez un quart du bocal avec de la terre, et le reste avec de l'eau.
3. Remuez énergiquement le mélange terre-eau avec le bâton, de façon que la terre tourbillonne.
4. Laissez reposer le tout, de préférence toute une nuit.

QUE SE PASSE-T-IL ?

On peut observer différentes choses dans la terre, par exemple des petites pierres, des fibres, des morceaux de plante, des petites branches et même des petits animaux.

Dans le bocal, on constate qu'il y a plusieurs couches de terre. Elles se sont séparées durant la nuit. À la surface de l'eau, on voit notamment flotter des morceaux de plantes.

COMMENT L'EXPLIQUER ?

Les couches de terre sont constituées différemment. Le sol sablonneux est léger, la terre glaise est fertile et le sol argileux est lourd. Les différentes composantes de la terre se mélangent d'abord à l'eau lorsqu'on les remue dans le bocal. Ensuite, elles coulent à nouveau jusqu'au fond. Comme leurs poids diffèrent, leurs composantes se séparent. La terre lourde tombe dans le fond et les composantes plus légères se retrouvent au-dessus. On distingue nettement les différentes couches dans le bocal.

Moi, je préfère apprendre à faire un arc-en-ciel, comme à la page 40 !

42

Musique de verre

COMMENT PROCÉDER ?

1. Humidifiez avec de l'eau un de vos doigts ainsi que le bord d'un verre. Frottez le bord du verre avec le doigt.
2. Remplissez ensuite les verres de plus ou moins d'eau et frottez à nouveau le bord du verre avec le doigt. Soyez attentif à avoir votre doigt propre et sans savon.

QUE SE PASSE-T-IL ?

Quand on a fait le tour du verre, on entend un son. Les tonalités sont différentes selon que le verre est plus ou moins rempli d'eau.

JEU DE SONS

Matériel : plusieurs verres à vin à bord mince, eau, cuiller

3-4 explorateurs
1 assistant

COMMENT L'EXPLIQUER ?

En passant le doigt sur le bord, l'air se met à vibrer. Cette vibration est invisible, mais le son produit est audible et se ressent au niveau du doigt. Plus le verre est rempli d'eau, plus le son est grave. Si le verre est vide, le son produit par le frottement est très aigu.

Où est passée
la musique ?

VARIANTE : À l'aide d'une cuiller, avec laquelle on frappe très légèrement le verre, et par le fait de verser de l'eau dans les verres, ces derniers peuvent être « accordés ». Il est alors possible de produire une série de sons, comme pour une gamme, et même de jouer une courte mélodie.

Le feu consomme l'oxygène

Montrez à votre enfant que le feu a besoin d'oxygène pour brûler.

EXPÉRIMENTER
ET OBSERVER

Matériel : 3 ou 4 bougies allongées, un support ignifuge, plusieurs verres à paroi épaisse et de tailles différentes (ils doivent toujours être plus grands que la bougie), allumettes ou briquet

3-4 explorateurs
1 assistant

COMMENT PROCÉDER ?

1. Allumez une bougie sur un support ignifuge.
2. Placez des verres de tailles différentes sur la bougie.
3. Que se passe-t-il quand un verre recouvre deux bougies ?

QUE SE PASSE-T-IL ?

Quand la flamme est recouverte d'un verre, il ne faut pas beaucoup de temps pour qu'elle s'éteigne. Dans le grand verre, la flamme continue à brûler un peu plus longtemps. Deux bougies en train de brûler sous un verre s'éteignent plus vite qu'une seule.

COMMENT L'EXPLIQUER ?

L'air est constitué de différentes composantes. L'une d'entre elles est l'oxygène, qui est particulièrement important car l'homme ne peut vivre sans lui. Dans le verre, il y a de l'air. Pour brûler, la bougie a besoin d'oxygène. Quand le verre ne contient plus assez d'oxygène, la flamme s'éteint. Plus grand est le verre, plus il y a d'oxygène disponible et, par conséquent, plus la bougie va brûler longtemps. Deux bougies ont besoin de plus d'oxygène et c'est pourquoi elles s'éteignent plus vite.

J'ai compris...

Pantomime d'animaux

Un enfant pense à un animal qu'il aimerait mimer. Les autres enfants doivent deviner de quel animal il s'agit. Celui qui a bien deviné peut réaliser la pantomime suivante.

VARIANTE : Une pile d'images d'animaux se trouve sur la table, face retournée vers le bas (par exemple un jeu de mémo). L'enfant à qui c'est le tour retourne la carte du dessus et essaie de mimer l'animal représenté.

JOUER

3-10 joueurs

Devinettes d'animaux

Quelle souris est capable de voler ?
La chauve-souris

Quel requin a toujours un outil avec lui ?
Le requin-marteau

Attention, ce porc-là est très piquant ! Comment s'appelle-t-il ?
Le porc-épic

DEVINETTES

2-6 joueurs

Et toi, as-tu
les réponses ?

Les vers de terre

COLLECTIONNER ET OBSERVER

Matériel : bocal ou vieil aquarium, gravier, terre, herbe, feuilles, torchon, restes de plantes, de fruits et de légumes, 2 ou 3 vers de terre

1-4 explorateurs
1 assistant

COMMENT PROCÉDER ?

1. Recouvrez le fond du bocal ou de l'aquarium avec du gravier. Ajoutez une grosse quantité de terre humide et déposez dessus de l'herbe mélangée à des feuilles.
2. Allez chercher des vers de terre dans le jardin. Après une averse violente, ils remontent à la surface car leurs galeries souterraines sont inondées.
3. Mettez les vers de terre dans le bocal, que vous placez ensuite à un endroit ombragé. Recouvrez le bocal d'un torchon, pour conserver l'ombre et l'humidité. La terre devrait toujours rester humide.
4. Votre enfant peut nourrir les vers de terre tous les jours avec un peu d'herbe et de feuilles, des restes de fruits et de légumes. Après un certain temps, les vers de terre seront à l'étroit dans le bocal. Redonnez-leur alors vite leur liberté.

QUE SE PASSE-T-IL ?

Les vers de terre creusent des galeries et allègent ainsi la terre.

COMMENT L'EXPLIQUER ?

Les vers de terre traversent le sol en mangeant. Les restes de plantes sont ainsi digérés et le reste est rejeté à la surface de la terre. Les vers de terre n'ont pas de nez, ni d'yeux ou d'oreilles, mais ils peuvent cependant se rendre compte s'il fait clair ou sombre, et leur sens du toucher est très développé. Les vers de terre n'ont bien sûr ni bras ni jambes. Ils progressent dans la terre grâce à leur corps musclé. De petites soies les empêchent de glisser en arrière. Pour qu'ils puissent encore mieux ramper sous terre, ils fixent sous eux une sorte de mucus.

Traces d'animaux

Partez avec votre enfant à la recherche de traces d'animaux.
Il est bien sûr plus facile de trouver des traces d'animaux dans la neige. Mais on peut aussi en découvrir sur le sol. Demandez à votre enfant de comparer les traces. Lesquelles sont identiques ? Peut-on en déduire que l'animal est pressé ou qu'il marche à son aise ? Essayez de découvrir ensemble quelle est la taille de l'animal. A-t-il quatre pattes ou seulement deux ?

OBSERVER

1-4 explorateurs
1 assistant

Classer les animaux

Découpez environ 25 cartes de taille identique dans le papier carton fin. Découpez avec votre enfant des photos ou des dessins d'animaux dans les revues ou les dépliants et collez-les dessus. Pour plus de facilité, demandez ensuite à tous les participants de s'asseoir autour d'une table (ronde de préférence). Chacun d'eux reçoit 4 cartes, qu'il tient avec le côté photo devant lui. Les autres ne voient donc pas les images. Chacun joue à son tour et c'est le plus jeune qui commence. Il cite une caractéristique : par exemple « l'animal peut voler » ou « l'animal a quatre pattes ». L'un après l'autre, les joueurs placent les cartes correspondantes au milieu. Celui qui met une carte qui ne correspond pas doit prendre toutes les cartes retournées. Le gagnant est celui qui n'a plus aucune carte.

BRICOLER ET JOUER

Matériel : papier carton fin, journaux, revues ou dépliants, ciseaux, colle

4-6 joueurs

47

OBSERVER

1-3 explorateurs
1 assistant

D'où vient la grenouille ?

S'il y a un étang près de chez vous, peut-être qu'il abrite de petits amphibiens, comme des grenouilles.

COMMENT PROCÉDER ?

Au début de l'été, on peut observer la manière dont les têtards se transforment en petites grenouilles. Quand vous aurez découvert les premiers têtards en train de frétiller, vous pourrez observer leur transformation quasiment journalière.

COMMENT L'EXPLIQUER ?

Les grenouilles sont capables de vivre sur terre et dans l'eau. Il faut environ 11 semaines pour qu'une grenouille se développe. La femelle grenouille pond le frai, c'est-à-dire des milliers d'œufs minuscules. Après environ 2 semaines apparaissent les petits têtards, qui vivent dans l'eau et respirent par leurs branchies, comme les poissons. Ensuite, des pattes avant et arrière apparaissent sur le corps des têtards. Environ 3 mois plus tard, la jeune grenouille quitte l'eau et commence à respirer de l'air. Elle ne peut vivre que sur terre, car ses poumons se sont développés. La queue, qui lui a servi à avancer au stade de têtard, devient de plus en plus petite et a presque complètement disparu : le têtard s'est transformé en grenouille.

Imprimer avec des pommes de terre

COMMENT PROCÉDER ?

1. Coupez plusieurs grosses pommes de terre en deux. Pressez ensuite fermement des emporte-pièces au centre de chaque moitié. Vous pouvez aussi utiliser un couteau pour faire différentes formes.
2. Détachez délicatement la forme de la pomme de terre.
3. Séchez la surface du cachet avec un torchon.
4. Votre enfant peut maintenant colorer les cachets de couleurs différentes. Le mieux est qu'il commence avec des couleurs claires. Ainsi, lors du changement de couleur, les autres nuances n'apparaîtront pas par transparence. Il est conseillé de faire un test d'impression sur du papier journal. À vous maintenant d'imprimer des chefs-d'œuvre : réalisez, par exemple, votre propre papier d'emballage cadeau, des cartes d'invitation ou d'anniversaire, etc.

BRICOLER

Matériel : grosses pommes de terre, emporte-pièces, couteau, torchon, peinture, pinceau, papier ou papier carton

1-4 explorateurs
1 assistant

Faire disparaître les couleurs par magie

COMMENT PROCÉDER ?

Enduisez grossièrement une feuille de papier avec de la peinture à l'eau. Veillez à utiliser beaucoup d'eau. Saupoudrez ensuite le sel sur la feuille mouillée, soit pêle-mêle, ou bien en formant de petits cercles ou des lignes.

QUE SE PASSE-T-IL ?

Il ne faut pas longtemps pour voir apparaître des taches blanches aux endroits salés. Il ne reste qu'à brosser ou secouer le reste de sel.

COMMENT L'EXPLIQUER ?

Comme le sel absorbe non seulement l'eau, mais aussi la peinture, des taches blanches apparaissent sur le fond coloré.

EXPÉRIMENTER ET OBSERVER

Matériel : eau, peintures à l'eau, pinceau, papier, sel

1-4 explorateurs
1 assistant

Beaucoup de couleurs vives

Voici comment transformer des motifs peints en chefs-d'œuvre.

BRICOLER ET OBSERVER

Matériel : au moins 2 filtres à café en papier, verre, eau, feutres, ciseaux

1-4 explorateurs
1 assistant

Même sous l'eau, je garde mes belles plumes colorées !

COMMENT PROCÉDER ?

1. Découpez un cercle dans un filtre à café en papier, légèrement plus grand que le diamètre du verre. Au centre du cercle, faites une croix ou un petit trou.
2. Votre enfant dessine maintenant des cercles de couleur ou des motifs différents avec des feutres sur le filtre.
3. Glissez l'autre filtre enroulé dans le trou du premier filtre.
4. Placez le tout sur le verre rempli d'eau, pour que le rouleau soit immergé à un tiers.

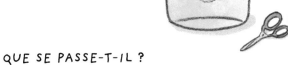

QUE SE PASSE-T-IL ?

Le filtre en papier absorbe l'eau et se mouille. Petit à petit, les couleurs du dessin se modifient sur le cercle peint.

COMMENT L'EXPLIQUER ?

Le rouleau de papier aspire d'abord l'eau. Quand elle est arrivée en haut, le filtre rond s'humidifie à son tour en partant du centre. De ce fait, les couleurs coulent et se mélangent. Cela ne se fait pas de manière uniforme, parce que l'apport d'eau se fait à partir de l'intérieur du cercle et que l'humidité ne trouve que lentement son chemin vers l'extérieur.

ASTUCE : À partir de ces images colorées, il est possible de faire des fleurs ou des papillons. Avec plusieurs de ces chefs-d'œuvre, on peut aussi réaliser des collages de couleur. Laissez libre cours à votre imagination !

 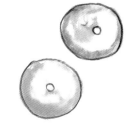

Fabriquer de la couleur

Voulez-vous fabriquer vous-même différentes couleurs ? De cette manière, votre enfant apprendra à connaître de nombreux éléments colorants.

Couleurs de la cuisine : On peut obtenir de la couleur à partir des aliments, par exemple à partir de jus (de cerise ou de betterave rouge), de ketchup ou de moutarde. Pour cela, il ne faut utiliser que de petites quantités, que l'on peut également mélanger à un peu d'huile végétale, jusqu'à ce que le mélange se laisse facilement étaler au pinceau. Les œuvres réalisées avec ces « couleurs alimentaires » ont une durée de vie limitée car, à un moment donné, elles dépasseront leur date de conservation. Dans des boîtes refermables, placées au réfrigérateur, les couleurs tiennent 2 semaines.

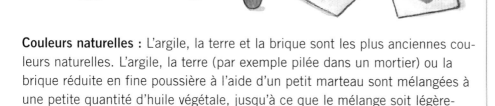

Couleurs naturelles : L'argile, la terre et la brique sont les plus anciennes couleurs naturelles. L'argile, la terre (par exemple pilée dans un mortier) ou la brique réduite en fine poussière à l'aide d'un petit marteau sont mélangées à une petite quantité d'huile végétale, jusqu'à ce que le mélange soit légèrement liquide. On peut alors colorer du papier ou du carton, soit avec les mains, soit avec un gros pinceau ou des bâtonnets.

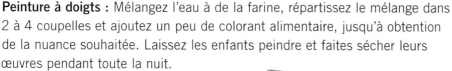

Peinture à doigts : Mélangez l'eau à de la farine, répartissez le mélange dans 2 à 4 coupelles et ajoutez un peu de colorant alimentaire, jusqu'à obtention de la nuance souhaitée. Laissez les enfants peindre et faites sécher leurs œuvres pendant toute la nuit.

EXPÉRIMENTER ET OBSERVER

chaque fois 1-4 explorateurs
1 assistant

Matériel : huile alimentaire, ketchup, jus, moutarde, boîtes ou bocaux hermétiques

Matériel : 1 à 2 cuillers à soupe d'argile, terre, petits morceaux de briques, mortier ou petit marteau, huile alimentaire, boîtes ou bocaux hermétiques

Matériel : env. 100 ml d'eau, 5 cuillers à soupe de farine, plusieurs coupelles, quelques gouttes de colorant alimentaire, bocaux ou boîtes hermétiques

Matériel (pour 5 œufs) :
1 l d'eau, vinaigre, env.
250 g de chou rouge frais,
pelures d'oignon, baies de
sureau séchées, persil,
orties, épinards frais,
quelques cuillers à soupe
de thé de mauve, de thé
noir et de fleurs de camomille, quelques grammes
de safran, huile alimen-
taire

Œufs colorés : Les couleurs pour œufs de Pâques sont aussi faciles à prépa-rer soi-même. Ces couleurs ne sont peut-être pas aussi brillantes et vives que celles du commerce, mais leur origine est tout à fait naturelle.

Voici les fournitures nécessaires aux différentes couleurs : le chou rouge frais teinte les œufs en violet, le thé de mauve les rend rouges, les pelures d'oi-gnon ou le thé noir leur procurent un ton marron chaud, les baies de sureau donnent du bleu, les épinards frais, le persil ou les orties les colorent en vert, le safran ou – meilleur marché – les fleurs de camomille les teintent en jaune.

COMMENT PROCÉDER ?

1. Il est important de nettoyer d'abord soigneusement les œufs, pour que la couleur puisse tenir. Le mieux est d'utiliser de l'eau vinaigrée.
2. Les plantes doivent, en règle générale, cuire pendant 30 à 45 minutes dans un litre d'eau. Ensuite, la décoction obtenue est filtrée et mélangée à un jet de vinaigre. Cela augmente le pouvoir colorant de la couleur.
3. On peut ensuite cuire jusqu'à 5 œufs dans la décoction. Après environ 10 minutes, les œufs sont durs et colorés de manière uniforme.
4. Si les couleurs semblent trop pâles, faites-les cuire un peu plus longtemps.
5. Pour terminer, votre enfant peut, à l'aide d'un chiffon, enduire les œufs d'un peu d'huile alimentaire, pour qu'ils soient bien brillants.

Une promenade sonore

Mettez un bandeau sur les yeux de votre enfant, prenez-lui la main et promenez-vous lentement avec lui dans la maison. Quels sont les bruits qu'il entend ? Demandez à votre enfant d'essayer de décrire les bruits de son environnement. Il entend le tic-tac d'une horloge ? Un oiseau chante dans le jardin ? Est-ce qu'il entend le vent ?
Si votre enfant n'aime pas avoir les yeux bandés, demandez-lui simplement de les fermer.

VARIANTE : Emportez un foulard lors de la prochaine promenade dans la nature. Quand votre enfant se sentira en confiance dans cet environnement, bandez-lui les yeux et faites avec lui une petite promenade auditive. Vous pouvez aussi inverser les rôles et vous faire guider par votre enfant.

PERCEVOIR

1-2 explorateurs
1 assistant

Musique, bruit, cliquetis

On peut réaliser plusieurs activités avec des bouteilles. Donnez à votre enfant la possibilité de remplir lui-même les bouteilles avec le matériel, afin qu'il remarque les différents bruits qui se produisent quand il les remplit.
Le mieux est d'utiliser des bouteilles en plastique de tailles différentes, par exemple des bouteilles de boisson, d'huile ou des flacons de shampooing. N'oubliez pas de bien rincer les bouteilles avant utilisation.
On obtient des bruits très différents, selon les récipients et le matériel utilisés. Laissez votre enfant jouer, expérimenter, faire de la musique. Quel est le bruit qu'il préfère ? Lequel n'aime-t-il pas ?

JEU DE SONS

Matériel : bouteilles et récipients en plastique de tailles différentes, riz, pâtes, pois secs, maïs sec, eau, etc.

2-4 joueurs

Le téléphone-tuyau

PERCEVOIR

Matériel : tuyau
d'arrosage (min. 25 m),
2 entonnoirs, ruban
adhésif

1-2 explorateurs
1 assistant

COMMENT PROCÉDER ?

Placez un entonnoir aux deux extrémités d'un tuyau et attachez-les avec le ruban adhésif. Prenez ensuite une des extrémités du tuyau et éloignez-vous de votre enfant, aussi loin que le tuyau le permet. Vous pouvez, par exemple, vous cacher derrière un arbre, de sorte que vous n'ayez plus de contact visuel. Parlez dans l'entonnoir (le micro) pendant que votre enfant tient l'autre entonnoir (le récepteur) devant son oreille. Il ne faut en aucun cas parler trop fort.

VARIANTE : Si vous ne disposez pas de tuyau, vous pouvez aussi fabriquer le célèbre « téléphone-boîte ».

QUE SE PASSE-T-IL ?

Malgré la distance, les deux utilisateurs du téléphone-tuyau arrivent à comprendre facilement les messages qu'ils s'envoient à travers le tuyau.

COMMENT L'EXPLIQUER ?

Le son se propage par ondes à travers l'air, l'eau et même les murs. Avec le téléphone-tuyau, le son est conduit de l'entonnoir sur toute la surface du pavillon de l'oreille. Le pavillon de l'oreille guide particulièrement bien les sons dans l'oreille. C'est la raison pour laquelle ce qui est dit, même à distance, est compris. Si on parle avec la même intensité de son, mais sans le téléphone-tuyau, l'autre personne aura beaucoup plus de mal à entendre.

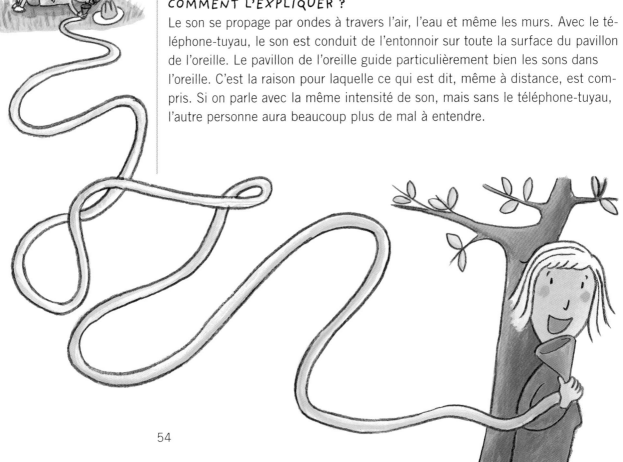

Sachet explosif

Avec un sachet explosif fabriqué soi-même, on peut faire pas mal de bruit.

COMMENT PROCÉDER ?

1. Pliez le papier d'abord horizontalement, puis verticalement. Dépliez-le à nouveau et pliez les quatre coins vers le pli horizontal du centre.
2. Pliez ensuite la moitié supérieure vers le bas, le long du pli horizontal.
3. Pliez la moitié droite vers la moitié gauche, le long du pli vertical.
4. Repliez les deux pointes supérieures, l'une vers l'avant et l'autre vers l'arrière.
5. Tournez le papier plié, comme sur l'illustration ci-dessous. Saisissez-le par la pointe inférieure, entre le pouce et l'index. Votre sachet explosif est prêt !
6. Frappez le sachet avec force et rapidité vers le bas.

BRICOLER ET EXPÉRIMENTER

Matériel : papier DIN-A3

1-3 explorateurs
1 assistant

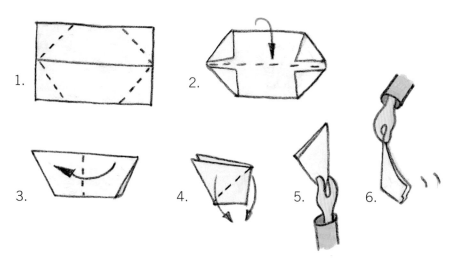

QUE SE PASSE-T-IL ?

Quand le sachet explosif est manipulé avec rapidité et force, la partie pliée du sachet s'ouvre et il explose.

COMMENT L'EXPLIQUER ?

En s'ouvrant, l'air autour du sachet est compressé. Des ondes sonores sont créées, que nous percevons sous forme d'éclatement.

Frotter et enduire

TESTER

Matériel : crème pour les mains ou gel douche

2-4 explorateurs
1 assistant

Demandez à votre enfant de joindre ses deux mains et de les frotter énergiquement l'une sur l'autre pendant 1 minute. Que se passe-t-il ? Que ressent votre enfant ? À cause du frottement, de la chaleur apparaît : les mains de votre enfant sont devenues très chaudes.

VARIANTE : Demandez à votre enfant de refaire l'expérience, mais avec les mains au préalable enduites de crème pour les mains ou de gel douche. Qu'est-ce qu'il remarque ? À cause de la crème ou du gel douche, le frottement est réduit et aucune chaleur n'apparaît.

Qui est le plus rapide ?

EXPÉRIMENTER

Matériel : pâte à modeler, boule en bois, 2 boîtes d'allumettes, mouchoir en papier, ruban adhésif, support lisse (par exemple plaque de cuisson de four)

1 explorateur
1 assistant

Laissez votre enfant organiser une petite course. Quel objet atteint le plus vite son but et pourquoi ?

COMMENT PROCÉDER ?
Préparez ensemble les « participants à la course » : fabriquez un dé en pâte à modeler. Une boîte d'allumettes est enveloppée d'un morceau de mouchoir en papier fixé avec du ruban adhésif. L'autre boîte d'allumettes reste inchangée, de même que la boule en bois.
Placez les 4 participants côte à côte sur la plaque et lancez la course en demandant à votre enfant de soulever une des extrémités de la plaque.
Quel objet part en premier ? Qui gagne la course ?

QUE SE PASSE-T-IL ?

La boule est la première à bouger : elle descend le plus vite en roulant. Ensuite vient la boîte d'allumettes non modifiée. Arrive, bonne troisième, la boîte d'allumettes enveloppée, suivie par le dé en pâte à modeler.

Qui va gagner ?

COMMENT L'EXPLIQUER ?

Les objets qui peuvent rouler, tels que la boule, touchent peu le support et sont moins freinés. Ils vont donc plus vite.
La boîte glisse facilement vers le bas sur son côté lisse.
La boîte enveloppée est légèrement freinée, car sa surface est plus rugueuse.
Le dé en pâte à modeler adhère d'un côté sur la plaque. C'est pourquoi il bouge plus lentement et ne glisse pas si bien. Les objets lisses glissent mieux que ceux qui sont rugueux ou qui adhèrent à la surface.

VARIANTE : L'expérience peut aussi être réalisée avec des jouets de la chambre de votre enfant, comme des petites voitures, des billes, de petites ou grandes boules, des cubes de construction, des balles pleines ou creuses. Quel objet est maintenant le plus rapide ?

Rendre ce qui est lourd super léger

EXPÉRIMENTER

Matériel : boîte en carton solide, tapis, env. 10 rouleaux de 2 cm de diamètre et de 30 cm de long

2-3 explorateurs
1 assistant

Réalisez avec votre enfant une petite série d'expériences pour trouver comment rendre plus léger quelque chose qui est lourd à transporter. De nos jours, on trouve sur les chantiers et dans les entrepôts des machines qui facilitent le travail. Mais comment faisaient les gens qui vivaient il y a 2 000 ans ?

COMMENT PROCÉDER ?

1. Placez la boîte en carton sur le tapis et demandez à un enfant (ou à deux) de se mettre dedans. Est-ce que le troisième explorateur réussit à les pousser ?

2. Enlevez le tapis et placez les rouleaux sous la caisse. Essayez à nouveau. Est-ce que c'est maintenant plus facile ?

QUE SE PASSE-T-IL ?

Quand des rouleaux sont placés sous la caisse, on peut la faire avancer plus facilement.

COMMENT L'EXPLIQUER ?

Une charge placée à même le sol est difficile à déplacer, car la résistance provoquée par le frottement est importante. Si on pose des rouleaux en dessous, la résistance est moindre. Plus le frottement est moindre, plus il est facile de pousser l'objet.

Pour les petits malins

Comparer et expérimenter

Entre 4 et 6 ans, votre enfant est devenu très indépendant. Sa manière de s'exprimer est de plus en plus nuancée, il peut se mouvoir ou se retenir de faire quelque chose (ou pas encore). Au niveau du développement de la relation avec le temps, il comprend maintenant ce qu'est le passé.

Il peut se montrer têtu et il a déjà quelques préférences et intérêts. Quand il explique quelque chose, ce sont d'abord des explications du style « est comme ». Quand il est occupé, il lui arrive d'oublier le temps.

Peu à peu, il commence à poser la question « pourquoi ». À l'âge de 4-5 ans, ces questions se rapportent à des relations fonctionnelles, selon le modèle : « Pourquoi un train roule-t-il sur des rails ? » ou « Pourquoi y a-t-il des nuages dans le ciel ? » En posant ces questions, votre enfant veut savoir si c'est ainsi pour tous les trains et tout le temps. Ses intérêts et ses activités sont axés sur la découverte de ces relations.

Sur la base de ses premières réflexions (il fait des liens entre les choses) et la confirmation qu'il est possible de trouver des explications logiques, l'enfant peut réaliser ses premières expériences dans le sens scientifique du terme.

En ce qui concerne les capacités d'expérimentation, ce sont maintenant les explications ciblées concernant son environnement et la recherche d'explication pour ce qu'il observe qui prennent de l'importance. À cela vient s'ajouter la « construction » ciblée : votre enfant devient plus adroit. L'observation est stimulée, l'utilisation de moyens pour s'aider d'outils s'amorce, la langue et les capacités à agir sont différenciées et plus précises.

Tout ce qui permet de nouvelles observations et des découvertes est ressenti comme passionnant, en particulier les phénomènes naturels, qui peuvent être découverts dans le quotidien et par le jeu. Ils suscitent des étonnements et des questionnements et sont un début de réflexion sur le monde. Lors de la recherche de la réponse à ces questions, les réussites sont importantes et servent de motivation pour d'autres activités. Plus les possibilités d'apprentissage dans son environnement proche sont variées, plus la créativité de l'enfant va pouvoir se développer et avec elle les bases nécessaires à la compréhension des relations scientifiques et mathématiques.

Les plantes transpirent-elles ?

Les plantes ont besoin d'eau pour pouvoir grandir. Elles l'absorbent par leurs racines. C'est de cette manière que l'eau arrive dans les branches et les feuilles. Les plantes rejettent-elles aussi de l'eau ? Il est préférable de préparer cette expérience le soir, pour pouvoir observer les résultats dès le lendemain matin.

COMMENT PROCÉDER ?

Placez une branche avec beaucoup de feuilles dans un sachet de congélation. Fermez le sachet avec un élastique, pour empêcher l'eau de rentrer ou de sortir du sachet.

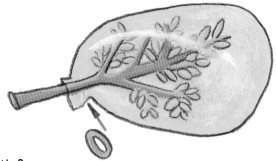

QUE SE PASSE-T-IL ?

De petites gouttes d'eau se sont déposées sur les parois du sachet.

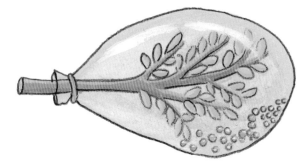

COMMENT L'EXPLIQUER ?

Les branches des arbres et des arbustes contiennent de l'eau. Elles peuvent rejeter cette eau par les feuilles, comme le font les hommes et les animaux en respirant et en transpirant. Cette eau qui est rejetée s'évapore rapidement. Normalement, on ne peut pas observer ce phénomène, mais, dans notre expérience, l'eau se transforme en gouttelettes à l'intérieur du sachet, par condensation.

EXPÉRIMENTER
ET OBSERVER

Matériel : sachet de congélation, élastique, branche avec des feuilles

1-4 explorateurs
1 assistant

Quel âge a cet arbre ?

EXPLORER

Matériel : fil de laine, mètre, ciseaux

1-2 explorateurs
1 assistant

On peut déterminer l'âge d'un arbre grâce à ses cernes. Si l'arbre est sain, ses anneaux ne se voient pas de l'extérieur. Il existe une méthode de calcul simple, pour déterminer l'âge d'un arbre.

COMMENT PROCÉDER ?

1. Votre enfant entoure le tronc de l'arbre avec le fil de laine. Le fil est ensuite coupé à l'endroit où les deux extrémités se joignent. La circonférence doit être mesurée à une hauteur d'environ 1,20 m, c'est-à-dire à peu près à la hauteur de la tête de l'enfant.

2. L'explorateur mesure ensuite la longueur du fil sur son mètre.

3. L'assistant doit maintenant effectuer un petit calcul. Il divise la circonférence (en centimètres) par 2,5 : le résultat de ce calcul donne approximativement l'âge de l'arbre.

EXEMPLE : 60 : 2,5 = 24.
L'arbre a donc environ 24 ans.

Une petite « station météo »

Une simple pomme de pin peut servir de station météo.

COMMENT PROCÉDER ?

1. Collez les trois bâtonnets dans le bas de la pomme de pin pour la stabiliser sur un support.

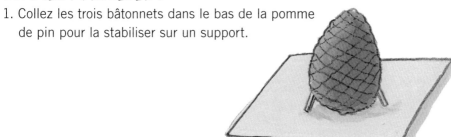

BRICOLER ET OBSERVER

Matériel : pomme de pin, cure-dent, colle liquide, carton, 3 bâtonnets

1 explorateur
1 assistant

2. Fixez avec votre enfant le cure-dent à l'intérieur d'une écaille de la pomme de pin. Utilisez pour cela deux gouttes de colle liquide.

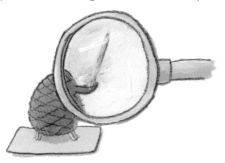

3. Placez votre « station météo » dehors, à un endroit protégé.

QUE SE PASSE-T-IL ?

S'il va pleuvoir, le cure-dent pointe vers le haut. Si le soleil brille et qu'il fait sec, le cure-dent s'oriente latéralement.

COMMENT L'EXPLIQUER ?

Par mauvais temps, la pomme de pin se protège de l'humidité. Le temps humide fait gonfler le bois et fait en sorte que les écailles se ferment. Quand le temps est beau, les conditions sont bonnes et la pomme de pin ouvre ses écailles.

BRICOLER

Matériel : gobelet en plastique ou pot de yaourt,
film fraîcheur alimentaire,
élastique

1-2 explorateurs
1 assistant

Faire sa loupe-gobelet

Si un explorateur n'a pas de loupe sous la main, il peut en fabriquer une lui-
même.

COMMENT PROCÉDER ?

1. Tendez un morceau de film fraîcheur sur le haut du gobelet.

2. Découpez soigneusement un trou dans le bas du gobelet. Par cette ouverture, vous déposerez des choses à l'intérieur, comme une feuille d'arbre ou
   un petit fruit.

3. Versez quelques gouttes d'eau sur le film fraîcheur. Faites observer un objet à votre enfant à travers la goutte d'eau. Que voit-il ?

QUE SE PASSE-T-IL ?

L'objet placé dans le gobelet apparaît plus grand quand on le regarde à travers l'eau.

COMMENT L'EXPLIQUER ?

La lumière est brisée par l'eau. C'est pourquoi, à travers la goutte d'eau, les
objets paraissent plus grands. Cela peut aussi s'observer dans la baignoire ou
dans la piscine. Quand vous regardez vos propres jambes sous l'eau, elles
semblent plus grandes que dans la réalité.

EXEMPLE : Cela fonctionne encore mieux si on remplace le film fraîcheur
par un petit bol en verre avec un fond bombé, car il va renforcer l'effet de
l'eau.

Peut-on colorer des fleurs ?

Comme on le sait, il existe des fleurs de toutes les couleurs. Mais avez-vous déjà coloré une fleur ?

COMMENT PROCÉDER ?

1. Donnez un verre à chaque explorateur, qu'il remplit d'eau aux trois quarts. Il y colle ensuite une étiquette avec son nom.
2. Versez un peu de colorant alimentaire dans l'eau et mélangez. Faites attention que le colorant se dissolve bien.
3. Chaque explorateur place ensuite une fleur blanche dans le verre portant son nom.
4. Les petits explorateurs peuvent ensuite essayer de deviner ce qui se passerait, par exemple, avec des fleurs roses ou bleues, ou si les tiges se colorent aussi.

Observez ensemble la fleur. Que se passe-t-il ? Quelle transformation a subie la fleur après 6 à 8 heures ?

QUE SE PASSE-T-IL ?

Les feuilles et les parties fleuries de la fleur ont progressivement pris la couleur de l'eau colorée.

COMMENT L'EXPLIQUER ?

La fleur absorbe l'eau colorée par les tiges jusqu'en haut, la partie fleurie. Toutes les parties de la fleur reçoivent donc de l'eau.

EXPÉRIMENTER ET OBSERVER

Matériel (par explorateur) : verre haut, eau, colorant alimentaire (rouge ou bleu), fleur blanche (œillet ou tulipe), étiquettes autocollantes pour la plaque avec le nom

1-4 explorateurs
1 assistant

Former des paires

CLASSIFIER

1-2 explorateurs
1 assistant

Chaque sorte d'arbre a ses propres feuilles et fruits. Votre enfant connaît-il quelques fleurs et fruits et peut-il trouver ce qui va ensemble ?

Voici les solutions :

Noisetier,
noisette

Marronnier,
marron

Gland,
chêne

Hêtre,
faîne

Semences volantes

Les arbres et les arbustes sont fermement ancrés dans la terre par leurs racines. On trouve leurs « enfants », les jeunes arbres et arbrisseaux, à une certaine distance d'eux. Pour que les semences puissent s'éloigner si loin, elles doivent pouvoir voler. Comment font-elles ? On trouve les formes les plus diverses dans la nature. Montrez à votre enfant des semences d'érable. Ces semences, lors de leur « vol », se propulsent dans l'air à la manière d'un hélicoptère. En suivant les directives, vous pourrez construire un hélicoptère.

COMMENT PROCÉDER ?

1. L'assistant reporte le plan de construction sur un papier carton de format A5.

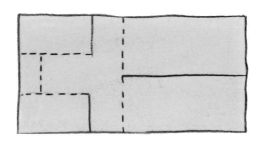

2. Découpez ensuite le long des lignes continues et pliez avec votre enfant la partie supérieure sur les lignes pointillées, dans des sens opposés.

3. Pliez la partie inférieure comme indiqué. Fixez la dernière languette rabattue avec un trombone. Ce petit poids va aider l'hélicoptère à tourner.

BRICOLER

Matériel : papier carton DIN-A5, ciseaux, trombone

1-6 explorateurs
1 assistant

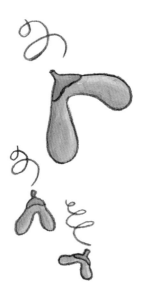

Quelle heure est-il ?

Découvrez l'heure avec votre enfant ! Pour cela, fabriquez un cadran solaire. De plus, vous pourrez rechercher ensemble les cadrans solaires sur les murs des maisons et dans les parcs.

CONSTRUIRE ET OBSERVER

Matériel : pot de fleur en argile, bâton (un peu plus long que le pot), terre, crayon, montre, soleil, éventuellement du papier

1-2 explorateurs par pot
1 assistant

COMMENT PROCÉDER ?

1. Remplissez le pot de fleur avec suffisamment de terre pour que le bâton que vous plantez dans la terre soit stable. Placez le pot à un endroit qui est toujours ensoleillé et laissez-le là.
2. À chaque heure pile, marquez le niveau de l'ombre sur le bord du pot et marquez les chiffres. Vous pouvez aussi placer le pot sur une grande feuille de papier et reporter les indications dessus. Pour cela, le bâton doit être suffisamment long.

Et voici mon ombre !

QUE SE PASSE-T-IL ?

L'ombre est visible sur le bord du pot. Au cours de la journée, elle progresse.

COMMENT L'EXPLIQUER ?

Le soleil semble bouger, mais c'est pourtant la terre qui tourne en 24 heures, à vitesse constante, autour de son axe. Le changement de position du soleil entraîne le changement de position de l'ombre : le matin l'ombre est allongée et chez nous, elle est dirigée vers l'ouest. À midi, le soleil est au sud, donc très haut dans le ciel. À ce moment, l'ombre est courte et orientée vers le nord. L'après-midi, l'ombre se rallonge et se dirige vers l'est. Puisque, pour un cadran solaire, l'indication de l'ombre est identique tous les jours, elle donne toujours l'heure.

Un petit igloo

COMMENT PROCÉDER ?

Formez une caverne semi-circulaire d'environ 15 à 20 cm de haut. Allumez la bougie et placez-la à l'intérieur. La distance entre le plafond de la caverne et la flamme doit être de 15 cm.

FABRIQUER ET TESTER

Matériel : neige, bougie chauffe-plat, allumettes ou briquet

1-4 explorateurs
1 assistant

QUE SE PASSE-T-IL ?

Dans la caverne, il fait chaud et clair grâce à la bougie allumée.

COMMENT L'EXPLIQUER ?

La bougie ne fait pas fondre rapidement l'igloo, parce que les murs de neige, qui sont blancs, réfléchissent la chaleur de la bougie.

De plus, la glace et la neige absorbent la chaleur et « tiennent » longtemps. La caverne contient de l'air, qui fait en sorte que, une fois fermée, l'air froid ne puisse pénétrer et l'air chaud ne puisse sortir. De cette manière, les murs de l'igloo réagissent comme un mur isolant.

Les gens peuvent même vivre dans les grands igloos. La chaleur corporelle de plusieurs personnes est suffisante pour chauffer l'intérieur. Même si les températures extérieures sont basses, la température intérieure peut monter à 15 °C.

Trop froid pour moi !

Un volcan dans le bac à sable

EXPÉRIMENTER

Matériel : bac à sable, plat, bouteille en plastique vide, entonnoir, vinaigre, bicarbonate de soude, colorant alimentaire rouge

1 explorateur
1 assistant

COMMENT PROCÉDER ?

1. Colorez du vinaigre en rouge. Remplissez la bouteille à moitié avec du bicarbonate de soude.
2. Dans le bac à sable, faites un cône de sable. Enterrez-y la bouteille de sorte que l'on ne voit plus que l'ouverture.
3. À l'aide de l'entonnoir, versez le vinaigre coloré dans la bouteille.

QUE SE PASSE-T-IL ?

Immédiatement après avoir versé le vinaigre, celui-ci ressort de la bouteille en faisant des bulles et se répand sur le sable.

COMMENT L'EXPLIQUER ?

Quand on mélange du vinaigre avec du bicarbonate de soude, il se forme un gaz, l'anhydride carbonique. Ce gaz se dilate très rapidement et avec force. Il pousse de ce fait le vinaigre rouge hors de la bouteille.

Les gaz sont responsables des éruptions volcaniques. La roche au centre de la terre est tellement chaude qu'elle est liquide. On l'appelle « magma ». Si, à l'intérieur de la terre, il se forme des gaz à cause de réactions chimiques, ces gaz exercent une pression sur le magma liquide et l'éjectent hors de la terre. Dès que la masse brûlante est sortie, on l'appelle « lave ». La lave se refroidit pendant qu'elle s'écoule pour se durcir en roche volcanique noire.

Images en sable

TESTER

Matériel : sable fin, colorant alimentaire, sachet de congélation, papier, colle

1-4 explorateurs
1 assistant

COMMENT PROCÉDER ?

Colorez du sable avec des couleurs différentes. Remplissez ensuite un sachet de congélation avec le sable et découpez-en un coin. Prenez une feuille de papier et enduisez-la de colle, puis laissez le sable ruisseler dessus ! Vous verrez apparaître des images colorées, aux formes et motifs très différents.

Bateau en savon

COMMENT PROCÉDER ?

1. Entaillez l'extrémité d'un des deux bâtons et enduisez l'entaille d'un peu de savon.
2. Placez le bâton sans savon sur la surface d'eau d'un plat et le deuxième bâton avec le savon sur la surface d'eau du deuxième plat. Que va-t-il se passer ?

QUE SE PASSE-T-IL ?

Le premier bâton flotte à la surface de l'eau et ne bouge quasiment pas. Le deuxième bâton flotte et se déplace.

COMMENT L'EXPLIQUER ?

Les deux bâtonnets flottent parce que le bois est plus léger que l'eau. L'eau est composée de minuscules particules, les molécules qu'il est impossible de voir. Les molécules d'eau tiennent plus ensemble à la surface de l'eau qu'à l'intérieur de l'eau. Il se forme une peau, qui est produite par une force, la tension superficielle. Le savon à l'extrémité du bâton détruit la fine peau de l'eau. De ce fait, les particules d'eau se mettent en mouvement et font avancer le bâton.

VARIANTE : Placez très doucement, à l'aide d'une petite pince, un trombone de bureau à la surface de l'eau qui ne contient pas de savon. La tension superficielle de l'eau l'empêche de couler, bien qu'il soit plus lourd que l'eau. Ajoutez maintenant un jet de produit de vaisselle dans l'eau. Le trombone coule, car le produit de vaisselle détruit la fine peau, qui auparavant supportait le trombone.

EXPÉRIMENTER

Matériel : 2 petits bâtonnets, 2 grands plats contenant de l'eau, couteau, savon
Pour la variante : plat contenant de l'eau, trombone, produit de vaisselle, petite pince

1-4 explorateurs
1 assistant

L'air est-il un frein ?

TESTER ET JOUER

Matériel : par participant, un grand morceau de carton (env. 40 x 60 cm)

2-20 participants

Je suis
le plus rapide !

COMMENT PROCÉDER ?

1. Chaque participant reçoit un morceau de carton et le tient à plat devant son ventre. La course peut démarrer. Qu'est-ce que l'on remarque ?
2. Lors de la seconde course, les joueurs tiennent toujours le carton, mais le dirigent latéralement vers l'avant. Quelle différence remarque-t-on par rapport à la première course ?

QUE SE PASSE-T-IL ?

Quand ils tiennent le carton à plat devant leur ventre, les enfants ressentent une pression et ils ont des difficultés à courir. Lors de la seconde course, ils courent plus vite et cela leur semble plus facile.

COMMENT L'EXPLIQUER ?

Quand on court avec le carton placé de front par rapport à l'air, on ressent une résistance, car l'air doit s'écarter devant le carton. En courant, les enfants sont donc freinés par la résistance de l'air. Cette résistance est d'autant plus grande que l'on court vite ou que la surface de carton le long de laquelle l'air doit s'écarter est grande. C'est la raison pour laquelle les enfants ne sentent pas de résistance quand ils courent avec le côté étroit du carton placé devant eux. C'est aussi pourquoi les voitures de course sont si plates à l'avant.

VARIANTE : Les enfants roulent à vélo ou descendent en hiver une montagne sur une luge. Certains se penchent en avant, d'autres restent assis bien droit.
Les enfants qui – comme les cyclistes – se penchent en avant vont plus vite, car la résistance de l'air est moindre.

Un ballon à air chaud

Bricolez une montgolfière avec votre enfant.

COMMENT PROCÉDER ?

1. La bande de papier carton est collée pour former un anneau, qui est suffisamment grand pour laisser passer l'embout du sèche-cheveux.
2. Fixez le sac-poubelle au côté ouvert de l'anneau, avec l'agrafeuse.
3. À l'aide du sèche-cheveux, insufflez de l'air chaud dans le sac par l'anneau.
4. Arrêtez le sèche-cheveux et lâchez le sac.

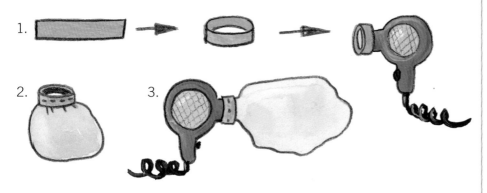

QUE SE PASSE-T-IL ?

Le ballon se gonfle et monte.

COMMENT L'EXPLIQUER ?

L'air chaud est plus léger que l'air froid et il monte. Le sèche-cheveux souffle beaucoup d'air dans le sac, qui se gonfle. Comme cet air est plus chaud que l'air environnant, le sac reçoit une poussée verticale plus importante que son poids. Le vent transporte le ballon plus loin. Comme le sèche-cheveux est arrêté quand on lâche le ballon, ce n'est pas le flux d'air du sèche-cheveux qui fait voler le ballon, mais bien l'air chaud qui se trouve dans le ballon.

Pour les grandes montgolfières, le pilote peut toujours chauffer l'air intérieur avec un brûleur à gaz et le maintenir chaud.

BRICOLER ET OBSERVER

Matériel : sac-poubelle assez fin, bande de carton (env. 5 cm de large), sèche-cheveux, ruban adhésif, agrafeuse

1 explorateur
1 assistant

Serpents blancs

OBSERVER

Matériel : par explorateur, bougie, allumettes ou briquet

1-5 explorateurs
1 assistant

Observez la fumée qui monte d'une bougie éteinte, jusqu'à ce qu'elle disparaisse.

COMMENT PROCÉDER ?
1. Allumez la bougie, laissez-la brûler un instant, puis éteignez-la. Observez ce qui se passe.
2. Tenez un briquet allumé dans la fumée. Qu'est-ce qui se passe ?

QUE SE PASSE-T-IL ?
La flamme s'éteint, de la fumée apparaît et ondule comme un serpent dans l'air. Quand un briquet allumé est tenu dans la fumée, la bougie se rallume immédiatement. C'est comme si la flamme du briquet était attirée par la mèche de la bougie.

COMMENT L'EXPLIQUER ?
À cause de la chaleur de la flamme, la cire de la bougie fond. Elle devient liquide, aspirée vers le haut par la mèche et finalement chauffée tellement fort qu'elle se transforme en gaz. La cire se trouvant en dessous de la flamme brûle alors. Si l'on souffle sur la flamme, l'air chaud de la mèche est chassé et se refroidit. La flamme s'éteint. Pendant un temps assez court, la cire continue à s'évaporer sans brûler et la bougie « fume ». En réalité, la fumée est aussi de la vapeur de bougie.
Ces vapeurs de cire sont inflammables. Quand on tient la flamme d'un briquet dans la vapeur, la bougie se remet immédiatement à brûler.

Fleurs de papillon

Avez-vous déjà observé comment les papillons aspirent le suc des fleurs ?
Attirez les insectes volants avec des fleurs que vous aurez fabriquées vous-même. Mais attention : vous aurez peut-être aussi des invités indésirables, comme les guêpes qui sont attirées par l'eau sucrée !

COMMENT PROCÉDER ?

1. Pliez l'extrémité de la paille et entourez-la soigneusement de fil, jusqu'à ce que le petit tuyau soit refermé.
2. Vous pouvez maintenant dessiner des fleurs dans le carton et les découper.
3. Au centre des fleurs, percez un petit trou ou entaillez en forme de croix, et glissez-y la paille par l'extrémité ouverte. Cette extrémité dépasse légèrement du haut de la fleur.
4. Mélangez l'eau et le miel, jusqu'à ce que ce dernier soit dissous.
5. Versez cette eau sucrée avec précaution dans la paille, jusqu'en haut.
6. Les fleurs ainsi réalisées sont « plantées » dans le jardin ou placées dans un pot sur le balcon. Continuez de remplir la paille d'eau sucrée.

QUE SE PASSE-T-IL ?

Des papillons et aussi d'autres insectes vont bientôt atterrir sur les fleurs.

COMMENT L'EXPLIQUER ?

Les fleurs ont besoin des papillons ou des autres insectes, pour que leur pollen soit transporté vers d'autres plantes. Elles attirent les papillons par leurs couleurs chatoyantes ou le parfum sucré de leur nectar. Pendant que les papillons sucent le suc avec leur trompe, ils se couvrent de pollen. Quand ils s'envolent vers la fleur suivante, le pollen reste accroché sur eux et la fleur suivante est pollinisée.
Comme les papillons sont constamment à la recherche de nourriture sucrée, ils seront aussi attirés par le miel des fleurs artificielles.

BRICOLER ET OBSERVER

Matériel : grande paille, papier carton fin de couleur ou colorié, fil fin, miel, eau

1-4 explorateurs
1 assistant

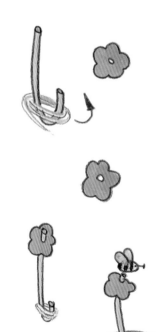

Encre invisible

Matériel : citron, pinceau, papier absorbant, fer à repasser ou lampe à incandescence

1-4 explorateurs
1 assistant

COMMENT PROCÉDER ?

1. Le citron est coupé en deux et pressé.
2. À l'aide d'un pinceau, rédigez un message sur la feuille.

QUE SE PASSE-T-IL ?

Écrire avec du jus de citron rend l'écriture invisible. Si l'on tient la page devant une lampe allumée ou si on la repasse avec un fer à repasser, on voit apparaître le message, légèrement brunâtre.

COMMENT L'EXPLIQUER ?

Le jus de citron contient du carbone. Quand le jus de citron est chaud, le carbone se dissout, brûle et devient brun.

Filigrane

BRICOLER ET
OBSERVER

Matériel : plat contenant de l'eau, support lisse (plateau en bois), 2 feuilles de papier, crayon ou feutre

1-4 explorateurs
1 assistant

COMMENT PROCÉDER ?

1. Plongez une feuille de papier dans l'eau, puis lissez-la sur le support lisse.
2. Posez une feuille de papier sec sur la feuille mouillée.
3. Ensuite, avec un crayon, dessinez sur la feuille de papier en appuyant fort pour que le crayon transperce la feuille.
4. La feuille de papier mouillée est ensuite séchée.

QUE SE PASSE-T-IL ?

Ce n'est que lorsque la feuille de papier, après séchage, est à nouveau plongée dans l'eau que le message – tenu à la lumière – devient à nouveau visible.

COMMENT L'EXPLIQUER ?

En écrivant, les fibres mouillées du papier sont compressées. Cette empreinte ne se voit cependant plus après séchage. Quand on mouille à nouveau le papier, les empreintes redeviennent visibles en filigrane. Les fibres compressées ne laissent passer que peu de lumière.

Tee-shirt coloré

Jouez au concepteur de mode avec votre enfant !

COMMENT PROCÉDER ?

Dans le seau, mélangez les couleurs en respectant les indications à l'aide de la cuiller en bois. Votre enfant peut maintenant nouer fermement les coins des tee-shirts avec une cordelette et – avec votre aide – les nouer solidement ensemble. Et hop, dans la teinture, sans oublier de mélanger !

QUE SE PASSE-T-IL ?

Vous pouvez observer comme les tee-shirts absorbent la couleur. Après 10 à 30 minutes (selon les indications du paquet), ils seront rincés avec de l'eau claire et froide. Les liens sont dénoués, puis faites encore un rinçage. Il ne reste qu'à admirer les superbes motifs en batik des tee-shirts !

COMMENT L'EXPLIQUER ?

Le tee-shirt est coloré, mais présente çà et là des dessins blancs et circulaires. Ces dessins se créent là où les tee-shirts ont été noués. À ces endroits, la teinture n'a pas ou très peu atteint le tissu. Le tee-shirt est donc resté clair.

VARIANTE : Vous pouvez aussi colorer les cachets de pommes de terre de la page 49 avec de la couleur et les imprimer sur un tee-shirt de couleur claire. Laissez sécher la couleur en suivant les indications.

TESTER

Matériel : tee-shirts blancs lavés, couleur pour batik (matériel de bricolage), vieux seau, longue cuiller en bois ou manche de cuiller, corde ou cordelette, vieux vêtements ou tabliers

1-2 explorateurs
1 assistant

Moi, je suis déjà coloré !

Caléidoscope

BRICOLER ET OBSERVER

Matériel : papier carton ondulé (20 x 12 cm), papier carton, feuille miroir (rayon bricolage), ciseaux, bâton de colle, ruban adhésif, petite boîte transparente (rayon bricolage, diamètre 4 cm), perles de couleur, adhésif double face

1-2 explorateurs
1 assistant

COMMENT PROCÉDER ?

1. Découpez le carton ondulé à la bonne dimension, si nécessaire.
2. Dans la feuille miroir, découpez 3 grands morceaux de taille identique (à chaque fois de 20 x 4 cm) et collez-les côte à côte sur le papier ondulé.
3. Pliez le carton ondulé pour obtenir un tube triangulaire, avec la feuille miroir à l'intérieur.
4. Fixez le côté allongé encore ouvert avec du ruban adhésif.
5. Versez les perles de couleur dans la boîte, de manière qu'elles puissent bouger facilement quand vous secouez la boîte.
6. Entourez le bord de la boîte avec de l'adhésif double face et placez-la dans le tube triangulaire, à une extrémité. La boîte doit bien tenir dans le tube. Si elle devait être trop petite, enveloppez-la d'autres bandes d'adhésif.
7. Dans le papier carton, découpez un triangle équilatéral d'environ 5 cm de côté. Au centre, percez un trou d'au maximum 1 cm. Fixez ce triangle à l'autre extrémité du tube. Votre caléidoscope est terminé !

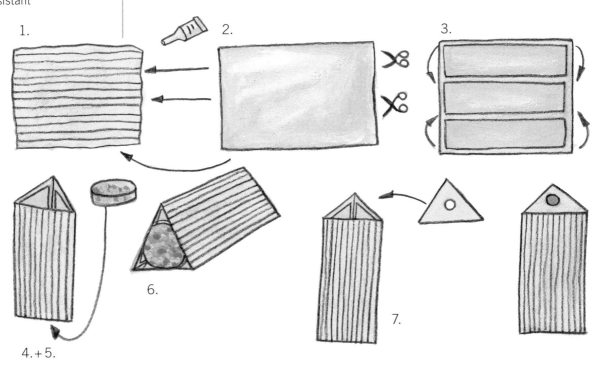

1.

2.

3.

4.+5.

6.

7.

QUE SE PASSE-T-IL ?

Quand votre enfant regarde la lumière à travers le caléidoscope et que celui-ci bouge, il va découvrir à chaque fois de nouvelles formes.

COMMENT L'EXPLIQUER ?

Dans le caléidoscope, la lumière rencontre la feuille miroir et elle est réfléchie. Les trois surfaces avec la feuille miroir sont rangées de manière que la lumière réfléchie tombe sur les deux autres faces. C'est pourquoi les perles de différentes couleurs de la boîte transparente se réfléchissent à plusieurs reprises sur la feuille miroir. On obtient ainsi des figures symétriques, qui se modifient continuellement quand on tourne la boîte ou qu'on la secoue.

Quelles sont
tes couleurs
préférées ?

Jeu mémo des boîtes

Ce jeu stimule le sens de l'observation des enfants et affine aussi leur audition.

Matériel : env. 10 boîtes d'allumettes (ou boîtes de film pour photos)
Matériel de remplissage : riz, pâtes, sable, petites pierres, feuilles, pièces de 1 centime

2 joueurs

PRÉPARATION :

1. Rassemblez avec votre enfant une multitude de petits objets que vous trouverez dans la nature et la maison. La seule condition est qu'ils ne soient pas plus grands qu'une pièce de 1 centime.
2. Remplissez chaque fois 2 boîtes d'allumettes avec les mêmes objets.

COMMENT PROCÉDER ?

Le jeu peut commencer. Mélangez toutes les boîtes d'allumettes et placez-les côte à côte. Le plus jeune joueur commence. Il choisit deux boîtes qu'il prend et secoue brièvement. Entend-il le même son dans les deux boîtes ? S'il pense que oui, il peut délicatement regarder dans les boîtes. Contiennent-elles des choses identiques ? Très bien ! Il peut alors déposer les deux boîtes devant lui et chercher 2 autres boîtes aux contenus identiques.
Si les boîtes n'ont pas le même contenu, le joueur repose les boîtes et c'est le tour du joueur suivant. Le vainqueur est celui qui a le plus grand nombre de boîtes !

Tu l'entends aussi ?

Flûte en papier

Cette sorte de flûte est facile à fabriquer soi-même.

COMMENT PROCÉDER ?

1. Enfoncez la pique en bois dans le bouchon en liège.
2. Prenez le papier, enroulez-le dans sa longueur autour du bouchon et collez-le latéralement. Le tube doit avoir exactement la taille du bouchon.
3. Enfoncez le bouchon dans le tube, par le bas. Pendant ce temps, votre enfant souffle dans l'autre extrémité du tube. Pour cela, il pince les lèvres, comme s'il allait souffler dans le goulot d'une bouteille.

BRICOLER ET
EXPÉRIMENTER

Matériel : bouchon en liège, pique en bois, papier solide (120 g), ruban adhésif

1-2 explorateurs
1 assistant

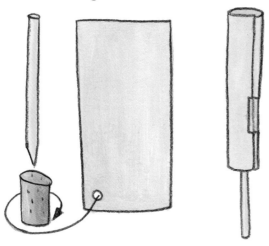

QUE SE PASSE-T-IL ?

On entend des sons bourdonnants. Ceux-ci se modifient selon que l'on enfonce ou retire le bouchon.

COMMENT L'EXPLIQUER ?

Quand le bouchon dans le tube se trouve près de l'extrémité dans laquelle l'enfant souffle, il n'y a que peu d'air dans l'espace libre entre le bouchon et l'extrémité du tube. Quand on retire le bouchon vers le bas, la quantité d'air dans le tube augmente. En soufflant, d'après la position du bouchon, la quantité d'air qui est mise en mouvement est plus ou moins grande. Plus petite est la quantité d'air qui se trouve entre le bouchon et l'extrémité, plus clair est le son.

Celui qui écoute aux portes

EXPÉRIMENTER

Matériel : verre aussi grand et fin que possible, porte (en bois)

2-4 explorateurs
1 assistant

COMMENT PROCÉDER ?

Deux explorateurs se mettent chacun d'un côté d'une porte fermée. L'un d'eux prononce une phrase. L'autre essaie de la comprendre. Ensuite, il tient un verre avec l'ouverture contre la porte et appuie son oreille sur le fond du verre. La phrase est répétée avec la même intensité.

VARIANTE : Un des enfants se trouve de l'autre côté de la porte et dit une dizaine de mots très bas. L'autre enfant doit maintenant essayer, à l'aide du verre, de comprendre ces mots. Pour chaque réponse correcte, l'« écouteur » reçoit un point. Ensuite, on intervertit les rôles. Qui a récolté le plus de points ?

QUE SE PASSE-T-IL ?

Étonnant : avec le verre, on entend beaucoup mieux ce qui se dit.

COMMENT L'EXPLIQUER ?

Quand on produit des sons, les vibrations qui se forment se propagent. Dans notre expérience, la porte et le verre vibrent ensemble. Le verre fonctionne comme un entonnoir et réceptionne les vibrations. Parce que le verre touche la porte, on entend ce qui est dit de manière plus claire.

Règles musicales

COMMENT PROCÉDER ?

À l'aide du ruban adhésif, les règles sont fixées le long d'un côté de la table, pour qu'elles dépassent à des longueurs différentes. Votre enfant fait vibrer les règles avec son pouce ou son index.

QUE SE PASSE-T-IL ?

Dès qu'une règle commence à vibrer, un son bourdonnant se fait entendre. La hauteur du son dépend de la longueur de la règle qui dépasse de la table.

COMMENT L'EXPLIQUER ?

Les règles courtes vibrent rapidement. Le son émis est aigu. Les règles longues vibrent plus lentement et, de ce fait, le ton qui se forme est plus sourd. Cette expérience avec les règles montre de manière très simple que pour de nombreux instruments de musique, par exemple le violon ou la guitare, les vibrations des cordes produisent des sons. Les cordes épaisses produisent des sons plus longs car elles vibrent plus lentement que les cordes fines.

EXPÉRIMENTER

Matériel : plusieurs règles souples en plastique (30 cm de long), ruban adhésif

1-4 explorateurs
1 assistant

Que faire avec un aimant ?

EXPÉRIMENTER
ET OBSERVER

Matériel : un aimant par
explorateur, trombones de
bureau, cuiller métallique
(magnétique), cuiller en
plastique

1-4 explorateurs
1 assistant

Les aimants sont des objets passionnants pour les enfants, avec lesquels ils peuvent expérimenter tout seuls.

COMMENT PROCÉDER ?

Donnez un aimant à votre enfant. Étalez le matériel devant vous. Que se passe-t-il quand votre enfant approche l'aimant des objets ?

QUE SE PASSE-T-IL ?

L'aimant a attiré les trombones de bureau, ainsi que la cuiller métallique. Mais quand on s'approche de la cuiller en plastique, il ne se passe rien.

COMMENT L'EXPLIQUER ?

Les aimants possèdent une force d'attraction. Mais ils ne peuvent attirer que les objets métalliques, comme le fer ou l'acier. Ces forces ne s'appliquent pas au plastique.

Un environnement attirant

EXPÉRIMENTER
ET OBSERVER

Matériel : aimant

1 explorateur
1 assistant

COMMENT PROCÉDER ?

Laissez votre enfant courir dans la pièce avec son aimant. Quels sont les objets magnétiques qui se laissent attirer ? Par quels objets l'aimant est-il repoussé ?

COMMENT L'EXPLIQUER ?

Un aimant a toujours deux pôles : un pôle nord et un pôle sud. Quand on rapproche deux pôles identiques, les aimants se repoussent. Si un pôle nord et un pôle sud se rencontrent, ils s'attirent.

Pêche à l'aimant

Comment votre enfant va-t-il réussir à faire ce que vous lui demandez ? Laissez-le d'abord essayer avec le matériel que vous lui donnez. S'il ne trouve pas, vous pouvez bien sûr l'aider !

COMMENT PROCÉDER ?

1. Posez le verre rempli d'eau sur la table et mettez un trombone dedans. Ce dernier tombe au fond.
2. Donnez un aimant, du fil et un peu de ruban adhésif à votre enfant.

3. Demandez-lui d'abord de sortir le trombone de l'eau, sans se mouiller les doigts.
4. Ensuite, il doit essayer de sortir le trombone du verre, sans mouiller ni ses doigts ni l'aimant.

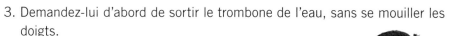

COMMENT L'EXPLIQUER ?

Pour la première expérience (3), votre enfant peut plonger l'aimant dans l'eau. Il peut attacher l'aimant au fil et « pêcher » le trombone. De cette manière, ses doigts ne sont pas mouillés. Pour l'expérience suivante (4), il laisse glisser l'aimant le long de la paroi extérieure du verre, jusqu'au niveau du trombone. Si l'aimant est assez puissant, votre enfant pourra sortir le trombone en l'attirant à travers la paroi du verre vers le haut et le retirer – sans se mouiller les doigts, ni mouiller l'aimant !

TESTER

Matériel : verre rempli d'eau, trombone, aimant puissant, fil, ruban adhésif

1-2 explorateurs
1 assistant

Fabriquer une boussole

À l'aide d'une boussole, on peut déterminer où se trouvent le nord et le sud, pour éviter de se perdre. Il est très facile de fabriquer une boussole simple, afin de trouver les différents points cardinaux.

FABRIQUER ET TESTER

Matériel : aiguille à coudre, rondelle de bouchon de liège, aimant puissant, ruban adhésif, pierre, saladier rempli d'eau

1-2 explorateurs
1 assistant

COMMENT PROCÉDER ?

1. Découpez une rondelle dans un bouchon de liège, de la taille d'une pièce de 2 euros.
2. Demandez à votre enfant de frotter 15 à 20 fois l'aimant sur l'aiguille, en allant toujours dans la direction du chas vers la pointe. Cela va transformer votre aiguille en aimant.
3. Fixez délicatement l'aiguille sur le bouchon avec du ruban adhésif.
4. L'assistant place la pierre à côté du saladier, au nord.
5. Placez maintenant l'aiguille avec le bouchon dans le saladier rempli d'eau.

QUE SE PASSE-T-IL ?

L'aiguille pointe toujours dans la direction nord-sud.

COMMENT L'EXPLIQUER ?

La terre elle-même est comme un aimant géant, qui a un pôle nord et un pôle sud. C'est pourquoi les aiguilles magnétiques de la boussole pointent toujours dans la direction nord-sud.

Le papier est-il solide ?

Nous utilisons surtout le papier pour le dessin et les activités manuelles. Il n'est pas très solide et se laisse facilement plier. Mais si on utilise le papier de manière adéquate, il peut porter de belles charges.

Dans l'expérience suivante, on va réaliser un pont à partir d'une feuille de papier. Ce pont doit être suffisamment stable pour qu'une voiture miniature le traverse d'un bout à l'autre, sans qu'il ne s'effondre.

COMMENT PROCÉDER ?

1. Faites avec votre enfant deux grandes piles de livres.
2. Placez ensuite la feuille pour former le pont. La petite voiture pourra-t-elle le traverser sans tomber ?
3. Pliez la feuille dans sa longueur et repliez les bords vers le haut des deux côtés.

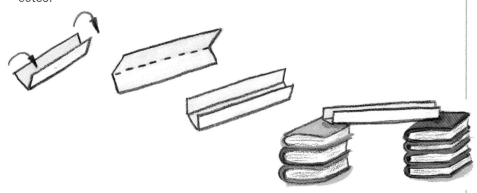

4. Comment plier la feuille pour obtenir un pont stable, qui pourra porter peut-être deux ou trois voitures ?

QUE SE PASSE-T-IL ?

Le papier qui n'est pas plié se courbe aussitôt et ne supporte pas de charge. Avec le papier plié, il est possible de construire un pont stable, qui résiste à une traversée. Si l'on plie le papier dans sa longueur, comme pour réaliser un harmonica, le pont de papier devient encore un peu plus stable.

COMMENT L'EXPLIQUER ?

Plus le papier est plié, plus raide et stable il devient. Il ne pliera quasiment pas quand il sera traversé.

TESTER

Matériel : feuilles de papier, petites voitures miniatures, 2 piles de livres

1-4 explorateurs
1 assistant

Comment vole une fusée ?

Un lancement de fusée est toujours spectaculaire. Vous serez étonné du résultat, même avec une fusée faite maison.

COMMENT PROCÉDER ?

1. Découpez une paille en son milieu et enfilez les deux parties sur la ficelle.
2. Tendez fortement la ficelle à travers la pièce à la hauteur de la poitrine.
3. Fixez fermement le ballon avec du ruban adhésif aux deux moitiés de paille.

ça, c'est gonflé !

4. Demandez à votre enfant de gonfler le ballon.
   Tenez fermement le ballon pendant qu'il souffle.
5. Lâchez le ballon.

QUE SE PASSE-T-IL ?

Le ballon se tourne et glisse le long de la ficelle d'une extrémité à l'autre.

COMMENT L'EXPLIQUER ?

Lorsque l'on souffle, le ballon se dilate. Quand on le lâche, l'air qu'il contient sort par la petite ouverture. L'air s'échappe vers l'arrière et le ballon part vers l'avant comme une fusée. C'est ce qu'on appelle le principe d'action réaction.

TESTER

Matériel : ficelle (env. 10 m de long), ballon de baudruche, paille, ruban adhésif

1-4 explorateurs
1 assistant

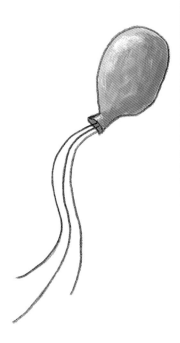

Aperçu des expériences et des jeux

Jeu	Participants	Âge	Thème	Lieu	Page
Bricoler					
Imprimer avec des pommes de terre	1-4	3-4	Couleurs	🏠	49
Faire sa loupe-gobelet	1-2	4-6	Plantes	🏠 🌳	64
Semences volantes	1-6	4-6	Plantes	🏠 🌳	67
Bricoler et expérimenter					
Chouette, il pleut !	1-2	2-3	Météo	🌳	15
Sac à chuchoter	1-2	2-3	Sons	🏠	30
Sachet explosif	1-3	3-4	Sons	🏠 🌳	55
Flûte en papier	1-2	4-6	Sons	🏠	81
Bricoler et jouer					
Domino de la météo	3-4	2-3	Météo	🏠	18
Mémo des animaux	2	2-3	Animaux	🏠	25
Jeu des dés de couleur	2-4	2-3	Couleurs	🏠	26
Classer les animaux	4-6	3-4	Animaux	🏠	47
Bricoler et observer					
C'est le soleil qui dessine	1	2-3	Couleurs	🏠	28
Presser des fleurs	1-4	3-4	Plantes	🏠	36
Beaucoup de couleurs vives	1-4	3-4	Couleurs	🏠	50
Une petite « station météo »	1	4-6	Plantes	🏠 🌳	63
Un ballon à air chaud	1	4-6	Éléments	🌳	73
Fleurs de papillon	1-4	4-6	Animaux	🏠 🌳	75
Filigrane	1-4	4-6	Couleurs	🏠	76
Caléidoscope	1-2	4-6	Couleurs	🏠	78
Classifier					
Former des paires	1-2	4-6	Plantes	🏠 🌳	66

Aperçu des expériences et des jeux

Je participe !